Conversation guide

Portuguese

MICHAELIS tour

Antonio Carlos Vilela

Conversation guide

Portuguese

MICHAELIS tour

Dados Internacionais de Catalogação na Publicação (CIP)
(Câmara Brasileira do Livro, SP, Brasil)

Vilela, Antonio Carlos
MICHAELIS TOUR: portuguese: conversation guide / Antonio Carlos Vilela. – São Paulo: Editora Melhoramentos, 2007. – (Michaelis tour)

2ª reimpr. da 1. ed. de 2001.
ISBN 978-85-06-02658-8

1. Português – Vocabulários e manuais de conversação – Inglês I. Título. II. Série.

06-9393 CDD-469.8242

Índices para catálogo sistemático:

1. Guia de conversação português-inglês: Lingüística 469.8242

Consultoria: Maurício Feldman-Abe
Julie Feldman-Abe

Foto da capa: Oscar Cabral / Abril Imagens

1.ª edição, 2ª impressão, janeiro 2007
ISBN: 978-85-06-02658-8

Atendimento ao consumidor:
Caixa Postal 11541 – CEP 05049-970 – São Paulo – SP – Brasil

Impresso no Brasil

Contents

Introduction

This guide was designed to help English-speaking people get by in Brazil. Of course, our intention is not to have you speaking fluent Brazilian Portuguese, but to teach you the essential words, phrases and tips that will help you to be understood.

While in Brazil, you will probably be able to speak English in hotels, airports and places that deal with tourists. So, it is a good idea to memorize the following sentence:

Alguém aqui fala inglês? — Does anybody here speak English?

In some other places, however, you may have to speak a little Portuguese. The purpose of this guide is to supply you with the essentials of Portuguese.

We hope that this conversation guide will help you to enjoy your travels.

Pronunciation

Pronunciation of letters within words.

Vowels

letter		key word
a	as in st**a**r, but a bit shorter	c**a**ro (expensive)
e	similar to the English word ob**e**y	d**e**do (finger)
i	as in m**ee**t, but a bit shorter	v**i**da (life)
o	similar to the English word **o**bey	n**o**me (name)
u	as in g**oo**se	**u**va (grape)

Consonants

The consonants **b, d, f, l, m, n, p, t, v** sound like the corresponding English consonants, when within words.

letter		key word
c	as in **c**at	**c**adeira (chair)
ç	as in fa**ç**ade, a**ss**emble	mo**ç**o (young man)
g	as in **g**ate	**g**ato (cat)
r	sometimes pronounced with weak vibration, similar to the American pronunciation of words like Be**tt**y, bu**tt**erfly.	a**r**ma (weapon)

r	when at the beginning of a word, like the English **h** in hat	**r**io (river)
rr	double **r** is also pronounced like the English **h** in hat	ca**rr**o (car)
s	as in **s**ilver	**s**alto (jump)
x	sometimes as in **sh**ovel	en**x**ame (swarm of bees), **x**ícara (cup)
x	sometimes as in **z**oo	e**x**ame (examination)
x	sometimes as in e**x**perience	asfi**x**ia (asphyxia)
xc	as in e**x**ception, **s**ilver	e**xc**eção (exception)
z	as in **z**oo	**z**ero (zero)
lh	as in mi**ll**ion	te**lh**a (roof tile)
ch	as in **sh**ovel	**ch**apéu (hat)
nh	as in Spanish word ni**ñ**o, similar to English o**ni**on	li**nh**o (linen)

Spelling

You may have to spell your name. So, it is a good idea to know the names of the letters and how to spell your name in Portuguese.

You may hear:

Pode **soletrar** seu nome, por favor?	Could you **spell** your name, please?
Pode **soletrar**, por favor?	Could you **spell** it, please?

You may have to say:

My name is John Smith	Meu nome é John Smith
I´m going to spell it:	Vou soletrar:

The alphabet

A (as in st**ar**)
B (as in **be**tter) Approximately a short ***bay***
C (as in **ce**llar, but with a less open sound) Approximately a short ***say***
D (as in **de**gree) Approximately a short ***day***
E (as in b**e**tter) like the letter **A** in English
F (as the English pronunciation of **F**) "***Effy***"
G (as in **Je**nnifer) Approximately a short ***jay***
H (as in **Aga**tha)
I (as in m**ee**t)
J (as in **giotta**)
K (as in **ca**r)
L (as in **Ele**anor) "***Elly***"
M (as in **Emmy**)
N (as in **any**)
O (as in l**aw**) "***Oh***"
P (as in **per**cent) Approximately a short ***pay***
Q (as in **ca**t) Approximately a short ***kay***
R (as in "**eh-hay**", with a shorter ending)
S (as **esse**) "***Essy***"
T (as in de**te**r) Approximately a short ***tay***
U (as in z**oo**) "***Ooo***"
V (as in **ve**randa) Approximately a short ***vay***
W (as the English **W**)
X (as in **cheese**, but shorter) "***She's***"
Y (as **"ipse loan"**)
Z (as in ber**se**rker) Approximately a short ***zay***

Accents

The acute and circumflex accents point out which syllable of the word should be emphasized.

The **acute** ('): Signifies an open sound when used on the letters **a**, **e** or **o**.

Circumflex (^): Signifies a **more** bass shorter sound, when used on letters **a**, **e** or **o**.

When used on the other two vowels, **i** and **u**, these accents only mark the stressed syllable.

Examples:

	"a" pronounced as in:
r**á**pido (fast)	**a**h, f**a**ther, c**a**r
abund**â**ncia (abundance)	f**u**n
	"e" pronounced as in:
gr**é**cia (Greece)	t**e**n, b**e**rry
gr**ê**mio (kind of student's club)	gr**e**y, st**a**y
	"o" pronounced as in:
av**ó** (grandmother)	h**o**rn, **o**ar
av**ô** (grandfather)	**o**pen, b**oa**t

The **tilde** (~): This accent is one of the most difficult for foreigners. The tilde signifies a nasal sound, and it is uncommon in other languages.

Example:

Não (no): it is pronounced almost as *noun,* but with a shorter final *n.*

Grammar

Portuguese grammar is very complicated. Much more than English grammar. So, we are only going to give you the basics.

Gender

Nouns in the Portuguese language are assigned masculine and feminine genders. There is no Portuguese equivalent for the English word *it*, for exception *ele* (his) and *ela* (her). Even furniture and car parts are masculine or feminine. The general rule is:

- Masculine: words ending with **o**.
- Feminine: words ending with **a**.

However there are some exceptions. Not every noun ends with **a** or **o**. So, be prepared to make a few mistakes.

To make things worse, the definite article **the**, in Portuguese, changes according to the gender of the noun.

The = o (masc.)   a (fem.)

A few examples:

English	Portuguese	
	Masculine	**Feminine**
the address	o endereço	
the cup		a xícara
the luggage		a bagagem
the newspaper	o jornal	
the sandwich	o sanduíche	
the suitcase		a mala
the couch	o sofá	

Even if you substitute masculine for feminine by mistake, people will probably understand you. Just make sure that you pronounce the noun clearly.

Indefinite article

The indefinite article (a/an, **um/uma**, meaning one), in Portuguese, also changes according to the gender of the noun it introduces.

a glass of beer	um copo de cerveja
a beer	uma cerveja
a key	uma chave
a telephone	um telefone
a number	um número

Plural Forms

As a rule, a noun ending in a vowel becomes plural with the addition of an **s**. A noun ending in a consonant, such as **r** or **z**, receives **es** in the plural (mulher – woman / mulheres – women). Nouns ending in l usually drop the l and add **is** (e.g. sol (sun) / sóis (suns). But, again, there are many exceptions.
The articles **a** and **o** (*the*, in English) receive **s** to form plural.

the apple	a maçã
the apples	as maçãs
the receipt	o recibo
the receipts	os recibos

Adjectives

Adjectives, in Portuguese, also change according to the noun they modify.

	Singular	Plural
good	**bom**	**bons**
good man	bom homem	bons homens
pretty	bonita(o)	bonitas(os)
pretty woman	mulher bonita	mulheres bonitas

Unlike in English, the adjectives can be placed before or after the noun, although they are more commonly used after the noun.

a pretty woman   uma bonita mulher = **uma mulher bonita** (more common)

Pronouns

Nominative Pronouns

I	eu
you	você/tu (você is pronounced approximately voss'ay)
he	ele
she	ela
it	ele/ela (neutro)
we	nós
you	vocês/vós
they	eles/elas

Objective Pronouns

me	me, mim, comigo (with me = comigo)
you	te, ti, contigo
him	lhe (a ele)
her	lhe (a ela)
it	lhe (a ele/a ela)
us	nos, conosco
you	vos, convosco
them	lhes (a eles, a elas)

Possessive Pronouns

my, mine	meu, minha, meus, minhas
your, yours	teu, tua, teus, tuas
his	seu, sua (dele)
her, hers	seu, sua (dela)
it	seu, sua (dele/dela)
our, ours	nosso, nossa, nossos, nossas
your, yours	vosso, vossa, vossos, vossas
their, theirs	seu (deles/delas)

Everyday conversation

Brazilians like to talk and, in general, they like foreigners. However, there is a largebroad gap between educated and non-educated people. The former are likely to speak a little English, and will help in your efforts to speak Portuguese. When addressing lower-level personnel, however try not to ask for explanations. Just say, concisely, what you want. If you need more information, try to contact middle or upper-level personnel.

Greetings	Cumprimentos
Hello	Olá
Hi	Oi
Good morning	Bom dia
Good afternoon	Boa tarde
Good evening	Boa noite
Good night	Boa noite
How are you doing?/ How are you?	Como vai?
Fine, thanks	Estou bem, obrigado
Fine, and you?	Estou bem, e você?
Is everything OK?	Está tudo bem?
OK	Tudo bem

Farewells — Despedidas

Farewells	Despedidas
See you later	Até logo
See you tomorrow	Até amanhã
Goodbye	Adeus
Bye, bye	Tchau
Pleased to meet you	Foi um prazer
Good night	Boa noite

Birthday — Aniversário

Birthday	Aniversário
Happy birthday	Feliz aniversário
Best wishes	Tudo de bom
Congratulations	Parabéns

Holidays — Feriados

Holidays	Feriados
All Soul's Day	Dia de Finados
Christmas	Natal
Easter	Páscoa
Good Friday	Sexta-Feira Santa
Independence Day	Dia da Independência (7 de Setembro)
Labour Day	Dia do Trabalho
New Year	Ano-Novo
New Year's Day	Primeiro do Ano
New Year's Eve	Véspera de Ano-Novo

Apologies — Desculpas

Apologies	Desculpas
Excuse me, please	Desculpe-me, por favor
Please, forgive me	Por favor, perdoe-me
I'm sorry	Sinto muito
Sorry to keep you waiting	Desculpe fazê-lo(a) esperar
That's all right	Tudo bem

Condolences / Pêsames

My condolences	Minhas condolências
I'd like to express my sympathy	Meus pêsames
I am very sorry	Eu realmente sinto muito

Everyday expressions

Yes	Sim
No	Não
I don't know	Eu não sei
I am sorry	Sinto muito
Excuse me	Desculpe-me (after you have made a mistake)
Excuse me	Com licença (if you have to interrupt or get someone's attention)
I beg your pardon?/ I didn't understand	Não entendi
Please, speak slowly	Por favor, fale devagar
Please, write it down	Por favor, escreva
Please, show me the word in the book	Por favor, mostre a palavra no livro
Good luck!	Boa sorte!
Please	Por favor
Thank you	Obrigado
You're welcome/ Don't mention it	De nada
Bye-bye	Tchau
I am American/English	Eu sou americano/inglês
My name is...	Meu nome é...
I am hungry	Eu estou com fome
I am thirsty	Eu estou com sede

It's late	Está tarde
Too much	Demais
Enough	Suficiente

Help / Ajuda

Can you help me?	Você pode me ajudar?
Do you speak English/Spanish?	Você fala inglês/espanhol?
Does anybody here speak English/Spanish?	Alguém aqui fala inglês/espanhol?
I don't speak much Portuguese	Eu não falo português muito bem
Do you understand me?	Você me compreende?
I (don't) understand	Eu (não) compreendo
What does this word mean?	O que significa esta palavra?
What do you call this?	Qual o nome disto?
Would you say that again, please?	Você pode repetir, por favor?
Again	Outra vez
Do you take...	Você aceita...
traveller's checks?	cheques de viagem?
credit cards?	cartões de crédito?

Questions / Perguntas

How much is it?	Quanto custa?
When?	Quando?
How?	Como?
How much/many?	Quanto/s?
Who?	Quem?
Where?	Onde?

Meeting people / Conhecendo pessoas

Meeting people	Conhecendo pessoas
Hi! Nice to meet you	Oi! Prazer em conhecê-lo
Are you on vacation?	Está de férias?
What do you do for a living?	O que você faz?
Do you work/study?	Você trabalha/estuda?
I like/I don´t like...	Eu gosto/ eu não gosto...
this	disso
soccer/football	de futebol
beer	de cerveja
playing tennis/golf	de jogar tênis/golfe
Do you like this?	Você gosta disto?
Do you like ice cream?	Você gosta de sorvete?
What is your profession?	Qual a sua profissão?
What would you like to do?	O que você gostaria de fazer?
Would you care for a drink?	Você aceita uma bebida?
Yes, please	Sim, por favor
No, thank you	Não, obrigado
I´d love to	Adoraria
That´s very kind of you	É muito gentil de sua parte
Would you like to go dancing?	Você gostaria de ir dançar?
Would you like to have dinner?	Você gostaria de jantar?
Where shall we meet?	Onde podemos nos encontrar?
What time shall we meet?	A que horas podemos nos encontrar?
What is your address?	Qual é o seu endereço?
My address is...	Meu endereço é...
I am staying at the Plaza Hotel	Eu estou no Hotel Plaza
What a pity! What a shame!	Que pena!
What does this mean?	O que significa?

Can you translate this for me, please?	Pode me traduzir isso, por favor?
What do you call this in Portuguese?/How do you say this in Portuguese?	Como se diz isto em português?
Would you say that again, please?	Pode repetir, por favor?
I beg your pardon?	Desculpe-me, não entendi
Would you speak slower, please?	Pode falar mais devagar, por favor?
Where are you from?	De onde você é?
What do you do?	O que você faz?
Are you married?	Você é casado/casada?
Are you alone ?	Você está sozinho/sozinha?
Are you with your family?	Você está com a família?
Where are you going?	Aonde você vai?
Where are you staying?	Onde você está hospedado/ hospedada?
I am American	Eu sou americano
I am British	Eu sou inglês
I live in New York	Eu moro em Nova York
We live in London	Nós moramos em Londres
I work in...	Eu trabalho com...
I am single	Eu sou solteiro/solteira
I am married	Eu sou casado/casada
I am divorced	Eu sou divorciado/ divorciada
I am separated	Eu estou separado/separada
I'm here on holiday	Eu estou aqui de férias
I'm here on business	Eu estou aqui a negócios
I'm here with my family	Eu estou aqui com minha família
I'm here with my wife/	Eu estou aqui com minha

husband	esposa/meu marido
I'm here with my sister/ brother	Eu estou aqui com minha irmã/ meu irmão
I'm here with a friend	Eu estou aqui com uma amiga/ um amigo
I'm here with my girlfriend/boyfriend	Eu estou aqui com minha namorada/meu namorado
I speak very little Portuguese	Eu falo muito pouco português
I'm engaged	Estou noivo/noiva
I'm a widow/widower	Estou viúva/viúvo

Relatives / Parentes

father	pai
mother	mãe
parents	pais
son	filho
daughter	filha
brother	irmão
sister	irmã
uncle	tio
aunt	tia
nephew	sobrinho
niece	sobrinha
cousin	primo ou prima
grandfather, grandpa	avô, vovô
grandmother, grandma	avó, vovó
grandson	neto
granddaughter	neta
grandchildren	netos
brother-in-law	cunhado

sister-in-law	cunhada
son-in-law	genro
daughter-in-law	nora
father-in-law	sogro
mother-in-law	sogra
stepmother	madrasta
stepfather	padrasto
stepchild	enteado/enteada
stepson	enteado
stepdaughter	enteada

You may hear frequently:

Seu passaporte, por favor	Your passport, please
Posso lhe ajudar?	May I help you?
Você tem trocado?	Do you have change?
O que você deseja?	What would you like?
Seu nome, por favor	Your name, please
De onde você é?	Where are you from?
Qual o seu nome?	What's your name?

Introductions / Apresentações

My name is...	Meu nome é...
This is... Roberto	Este é... Roberto
Pleased to meet you/nice to meet you	Prazer em conhecê-lo/conhecê-la
What's your name?	Qual o seu nome?
Mrs., Madame, Ma'am	Senhora, Sra.
Miss	Senhorita, Srta.
Mister, Mr.	Senhor, Sr.

Note: In Brazil, you will usually address people by their first names. Even when using the pronoun Sr. (Senhor = Mr.), the first name is most commom.

This is Mr. Roberto Andrade	Este é o Sr. Roberto Andrade
How do you do, Mr. Roberto?	Como vai, Sr. Roberto?
How do you do, sir?	Como vai o senhor?
How are you?	Como vai o senhor/a senhora? Como vai você? (more informally)

Obs.: When addressing a young woman (like a waitress, or any attendant), you use the noun “moça”. The same applies to young men, only the gender changes: “moço”.

Addresses & Directions
Endereços e orientações

In Portuguese, addresses are expressed in the following way:

Av. Paulista, 1000

Av.	Paulista,	1000
(avenue)	(name of the road/street)	(number)

Marcos mora na Rua Atlântica, 100.
(Marcos lives at 100 Atlântica St.)

Street	Rua (abbreviated R.)
Avenue	Avenida (Av.)
Square	Praça (Pça.)

Asking directions

Excuse me, could you help me?	Com licença, pode me ajudar?
How can I get to this address?	Como faço para chegar a este endereço?
Can I go there on foot?	Dá para ir a pé?
Can you show me on this map where I am?	Pode me mostrar neste mapa onde estou?
Please, how can I get to the post office?	Por favor, como faço para chegar à agência de correio?

Directions you may hear

Vá em frente...	Go ahead...
...três quarteirões	...three blocks
Vire... à esquerda	Turn... left
...à direita	...right
Pare	Stop

Basic vocabulary

here	aqui
there	lá
avenue	avenida
right	direita
ahead	em frente
back	atrás
left	esquerda
corner	esquina
block	quarteirão
street	rua
freeway/highway	via expressa
north	norte
south	sul
east	leste
west	oeste
up	acima/para cima
down	abaixo/para baixo

Airport
Aeroporto

You may hear:

Passaporte	Passport
Seguro	Insurance
Bilhete (Passagem)	Ticket
Tem algo a declarar?	Do you have anything to declare?
Qual o motivo de sua viagem?	What is the purpose of your trip?
Para onde você vai?	Where are you going?
Onde vai se hospedar?	Where are you staying?
Quanto tempo você vai ficar?	How long are you staying?
De onde você vem?	Where do you come from?
assento, lugar	seat
atrasado	delayed
atraso	delay
avião	airplane
chegada	arrival
corredor (do avião)	aisle
excesso de peso na bagagem	overweight
janela	window

linha aérea	airline
partida	departure
passageiros	passengers
portão número	gate number
primeira classe	first-class
sem escala	non-stop
vôo	flight

You may want to say:

Where is the duty-free shop?	Onde fica o free-shop?
Where can I exchange some money?	Onde posso trocar dinheiro?
Where do I get the bus to the hotel?	Onde posso pegar o ônibus para o hotel?
Where do I get a taxi/cab?	Onde eu pego um táxi?
Where are the telephones?	Onde ficam os telefones?
I have not found my luggage	Não achei minha bagagem
Where is the lost and found department?	Onde fica a seção de achados e perdidos?
I want to change my reservation	Quero mudar minha reserva
What is the flight number?	Qual o número do vôo?
Which gate is it?	Qual o portão?
Is there a delay?	Está com atraso?
Is there a bar/snack bar/restaurant around here?	Há um bar/lanchonete/ restaurante por aqui?

Buying tickets

Where can I buy tickets?	Onde posso comprar passagens?
Where is the Tower/ American Airlines/... office?	Onde fica o escritório da Tower/ American Airlines/...?
When is the next flight to Los Angeles?	Quando é o próximo vôo para Los Angeles?
What time does the plane leave?	A que horas o vôo sai?
I want to reserve a seat	Quero reservar um lugar
I want two tickets	Quero duas passagens
Is there a flight to...	Há um vôo para...
...New York?	... Nova York?
At what time does it take off?	A que horas sai?
How much is a round trip ticket to...	Quanto custa uma passagem de ida e volta para...
...London?	...Londres?
When is the next plane to...	A que horas é o próximo avião para...
...Rio de Janeiro?	...o Rio de Janeiro?
What time do we leave?	A que horas sai o avião?
Are there any special discount fares?	Existe alguma promoção de passagens mais baratas?
Can I reserve a (two) seat(s)?	Posso reservar um (dois) lugar(es)
First Class	Primeira Classe
Second Class	Segunda Classe
Economy Class	Classe Econômica

Leaving the airport

Saindo do aeroporto

Where can I get a luggage cart?	Onde posso arrumar um carrinho?
Can you help me with my bags?	Pode me ajudar com as malas?
Do you know how much the taxi fare is to downtown?	Você sabe quanto é a corrida de táxi até o centro?
Could you get me a cab/ taxi?	Pode me arrumar um táxi?
Is there bus service?	Existe serviço de ônibus?
How much is the fare?	Quanto é a passagem?

Luggage

Bagagem

Where is the luggage from the Dallas flight?	Onde está a bagagem do vôo de Dallas?
My luggage has not arrived	Minha bagagem não chegou
My suitcase was damaged in transit	Minha mala foi danificada na viagem
Please, take my luggage to a taxi/cab	Por favor, leve minha bagagem para um táxi

Barber
Barbeiro

Where is there a good/ inexpensive barber?	Onde tem um barbeiro bom/ não muito caro?
Can I make an appointment?	Posso marcar um horário?
Saturday at ten o'clock?	Sábado às dez?
I want a haircut	Quero cortar o cabelo
Not too short	Não muito curto
Very short	Bastante curto
Please, trim my beard	Por favor, apare a barba
back	atrás
sides	lados
hair	cabelo
moustache	bigode
side-burns	costeletas
short	curto
long	comprido
razor	navalha, lâmina
shampoo	xampu
shave	barbear
cut	cortar
trim	aparar

Bookstore
Livraria

Where can I find a bookstore?	Onde encontro uma livraria?
I want this book	Quero este livro
I want a children's book	Quero um livro para crianças
I want	Quero
a good guidebook	um bom guia
a map	um mapa
a dictionary	um dicionário
Do you have a cheaper edition?	Você tem uma edição mais barata?
in pocket book?	em livro de bolso?
Do you have a better edition?	Você tem uma edição melhor?
it's a gift	é um presente

Basic vocabulary

author	autor
book	livro
bookstore	livraria
fairy tale	conto de fadas
hardcover	capa dura
historical novel	romance histórico

illustration	ilustração
library	biblioteca
newsstand	banca de jornais
page	página
paperback	brochura
poetry	poesia
prose	prosa
publication	publicação
publisher	editora
short story	conto
translation	tradução
work	obra
writer	escritor

You may hear or read:

livros de ficção	fiction books
não-ficção	non-fiction
literatura	literature
poesia	poetry
mais vendidos	best sellers
novidades	new releases

Business
Negócios

You may hear:

Qual o nome de sua empresa, por favor?	The name of your company, please?
O senhor está sendo esperado?	Is somebody expecting you, sir?
Por aqui, por favor	Come this way, please
Um momento, por favor	One moment, please
Você tem um cartão (pessoal)?	Do you have a card?

You may have to say:

I need an interpreter	Eu preciso de um intérprete
I have an appointment with...	Eu tenho um encontro com...
He is expecting me	Ele está a minha espera
Can I leave a message?	Posso deixar um recado?
Where is your office?	Onde é seu escritório?
I have to make a phone call to New York	Eu preciso telefonar para Nova York
I am here for the fair	Eu vim para a feira

Clothes
Roupas

Sizes — Tamanhos

Women's clothes

Brazil	United States	Great Britain
38	10	32
40	12	34
42	14	36
44	16	38
46	18	40
48	20	42

Men's clothes

Brazil	United States	Great Britain
40	30	30
42	32	32
44	34	34
46	36	36
48	38	38
50	40	40
52	42	42

P (pequeno)	S (small)
M (médio)	M (medium)

G (grande) — L (large)
GG (extra grande) — XL (extra large)

Shoes — Sapatos

Brazil	United States	Great Britain
34	3 1/2	2
35	4	3
36	5	4
38	6 1/2	5
39	7 1/2	6
41	8 1/2	7
42	9 1/2	8
43	10 1/2	9
44	11 1/2	10
45	12 1/2	11

I want a shirt — Quero uma camisa

men's clothing — moda masculina/roupa de homem

women's clothing — moda feminina/roupa de mulher

I would like to try on a pair of pants — Gostaria de experimentar calças

I wear size... — O meu número é...

Can you measure me, please? — Pode me medir, por favor?

May I try on? — Posso experimentar?

Where are the fitting rooms? — Onde ficam os provadores?

Do you have a mirror?	Há um espelho?
It doesn't fit	Não serve
It's too big/small	Está muito grande/pequeno
It's too loose/tight	Está muito folgado/justo
I don't like it	Eu não gostei
I like the style, but not the color	Eu gosto do estilo, mas não da cor
I don't like the color	Eu não gosto da cor
Show me others	Mostre-me outros
I need it to match this	Eu preciso que combine com isto
Have you got anything...?	Você tem algo...?
cheaper	mais barato
different	diferente
larger	maior
smaller	menor
in leather	em couro
gray	cinza
red	vermelho
purple	roxo
green	verde
black	preto
white	branco
ready to wear	prêt-à-porter

Clothing

I want a...	Quero um/uma...
trunks	calção
shoes	sapatos
a pair of jeans	jeans
a pair of pants	calças

belt	cinto
blouse	blusa
blue jeans	calça jeans
boots	botas
bra	sutiã
cardigan	casaco de malha
coat	casaco
dress	vestido
fur coat	casaco de pele
a pair of gloves	luvas
handbag/purse	bolsa
handkerchief	lenço
hat	chapéu
high heels	saltos altos
jacket	paletó
lace	lingerie renda
long sleeves	mangas compridas
men's bathing suit/ swimming trunks	calção de banho
men's suit	terno
men's underwear/ undershorts	cuecas
nightgown	camisola
overcoat	sobretudo
pajamas/pyjamas	pijama
panty hose	meia-calça
a pair of tights	meias-calças
polo shirt	camisa pólo
raincoat	capa de chuva
sandals	sandálias
shirt	camisa

a pair of shoes	sapatos
short sleeves	mangas curtas
shorts	calção
skirt	saia
slacks	calça comprida
slip	combinação
a pair of socks	meias
a pair of stockings	meias de seda
sunglasses	óculos de sol
pullover/jumper sweater	pulôver
tee-shirt	camiseta
tie	gravata
tuxedo	smoking
underwear	roupa de baixo
women's bathing suit	maiô
women's suit	tailleur
women's under pants/ panty	calcinha

Types of fabric — Tipos de tecidos

cotton	algodão
fur	pele (de animal)
leather	couro
linen	linho
nylon	náilon
polyester	poliéster
satin	cetim
silk	seda
synthetic	sintético
wool	lã

See also: **Colors.**

Colors
Cores

beige	bege
black	preto
blue	azul
brown	marrom
chestnut	castanho
gold	ouro
green	verde
grey	cinza
lilac	lilás
navy blue	azul marinho
orange	cor-de-laranja
pink	cor-de-rosa
purple	roxo
red	vermelho
silver	prata
violet	violeta
white	branco
yellow	amarelo

Adjectives

colored	colorido
colorful	colorido

dark	escuro
golden	dourado
light	claro
pale	pálido
soft	suave

Examples:

dark green	verde-escuro
light red	vermelho-claro
soft pink	rosa-suave

Cosmetics
Cosméticos

Make-up	Maquilagem
I want…	Eu quero…
lipstick, lipcolor	batom
cleansing cream	creme de limpeza
moisturizer	hidratante
deodorant	desodorante
nail polish	esmalte para unhas
eyebrow pencil	lápis para os olhos
cleansing lotion	loção para limpeza
powder	pó facial
suntan lotion	bronzeador/filtro solar
perfume, fragrance	perfume
cream	creme
lotion	loção
mascara, lashcolor	rímel
eyeshadow	sombra (para os olhos)
haircolor	tintura para os cabelos
alcohol free	sem álcool
fragrance free	sem odor
fragrance, scent	aroma
to cleanse	limpar
cleansing	para limpeza

Days & Months
Dias e meses

day	dia
week	semana
weekend	fim de semana
month	mês
year	ano
today	hoje
this morning	hoje de manhã
tomorrow	amanhã
yesterday	ontem
next week	semana que vem
last week	semana passada
tonight	esta noite
tomorrow morning	amanhã de manhã

Days of the week — Dias da semana

Monday	Segunda-feira
Tuesday	Terça-feira
Wednesday	Quarta-feira
Thursday	Quinta-feira
Friday	Sexta-feira
Saturday	Sábado
Sunday	Domingo

Months	Meses
January	Janeiro
February	Fevereiro
March	Março
April	Abril
May	Maio
June	Junho
July	Julho
August	Agosto
September	Setembro
October	Outubro
November	Novembro
December	Dezembro

Seasons	Estações do ano
Spring	Primavera
Summer	Verão
Autumn/Fall	Outono
Winter	Inverno

Holidays	Feriados
All Soul's Day	Dia de Finados
Christmas	Natal
Easter	Páscoa
Good Friday	Sexta-Feira Santa
Independence Day	Dia da Independência (7 de Setembro)
Labour Day	Dia do Trabalho
New Year	Ano-Novo
New Year's Day	Primeiro do Ano
New Year's Eve	Véspera de Ano-Novo

Dentist
Dentista

You may hear:

Terei de extrair o dente — I'll have to take it out
Precisa de uma obturação — You need a filling
Talvez doa um pouco — This might hurt a bit

You may have to say:

I need to see a dentist (urgently) — Preciso ir ao dentista (com urgência)
Where can I find a good dentist? — Onde há um bom dentista?
I have a toothache — Estou com dor de dente
I broke a tooth — Quebrei um dente
I have an infection — Estou com uma infecção
This tooth hurts! — Este dente dói!
I lost a filling — Caiu uma obturação
I broke my denture — Quebrei a dentadura
Please, fill it — Por favor, obture-o
Extract it — Extraia-o
Don't extract it — Não o extraia
That hurts! — Está doendo!

I have a cavity	Eu tenho uma cárie
abscess	abscesso
anaesthetic	anestesia
root canal	canal
appointment	consulta
denture	dentadura
tooth	dente
toothache	dor de dente
filling	obturação
x-ray	radiografia
(to) pull	arrancar
gum	gengiva
bridge	ponte
bleeding	sangramento

Doctor
Médico

See also: **Drugstore**

For emergency assistance, you may call 190 (police) or 193 (rescue).

You may hear:

Qual o problema?	What is the matter?
Onde dói?	Where does it hurt?
Há quanto tempo você se sente assim?	How long have you been feeling like this?
Quantos anos você tem?	How old are you?
Você está tomando algum remédio?	Are you taking any medication?
Você é alérgico a algum remédio?	Are you allergic to any medication?
Por favor, tire a roupa	Please, undress
Sente-se, por favor	Sit down, please
Sente-se, por favor	Sit up, please
Deite-se de costas, por favor	Lie on your back, please

Deite-se de bruços, por favor	Lie on your stomach, please
Respire fundo, por favor	Please, take a deep breath
Vire-se	Turn over
Abra a boca	Open your mouth
Tussa, por favor	Please, cough

You may have to say:

Call an ambulance!	Chamem uma ambulância!
I need a doctor	Eu preciso de um médico
Please, take me/us to the nearest hospital!	Leve-me/nos ao hospital mais próximo, por favor!
Quickly!	Rápido!
Is there anyone here who speaks English?	Alguém aqui fala inglês?
I feel sick	Eu me sinto mal
I don't feel well	Eu não estou bem
I am sick	Estou doente
My blood group is A+/B-/O-/AB+	Meu tipo sanguíneo é A+/B-/O-/AB+
I am (he is)...	Eu sou (ele é)...
asthmatic	asmático
diabetic	diabético
epileptic	epilético
I am (he is) allergic to...	Eu sou (ele é) alérgico a...
antibiotics	antibióticos
penicillin	penicilina
cortisone	cortisona
I am/she is pregnant	Eu estou/ela está grávida
I have/he has high blood pressure	Eu sou/ele é hipertenso

I have cardiac problems	Eu tenho problemas cardíacos
I am/he is taking this medication	Estou/ele está tomando este remédio

Symptoms / Sintomas

It hurts here	Dói aqui
I have diarrhoea	Estou com diarréia
I feel dizzy	Sinto-me tonto/enjoado
I threw up/vomited	Eu vomitei
My head is aching	Estou com dor de cabeça
My throat is sore	Estou com dor de garganta
I/he can't sleep	Eu não consigo/ele não consegue dormir
I/he can't breathe	Eu não consigo/ele não consegue respirar
I/he can't urinate	Eu não consigo/ele não consegue urinar
My (*part of the body*) aches	Meu/minha (*parte do corpo*) dói
I'm having my period	Estou menstruada

The body / O corpo

abdomen	abdome
arm	braço
artery	artéria
back	costas
belly	barriga
blood	sangue
bone	osso
buttocks	nádegas
chest	peito

ear	orelha/ouvido
eye	olho
fingers	dedos da mão
foot	pé
forehead	testa
genitals/genital organs	orgãos genitais
head	cabeça
heart	coração
joint	junta
kidney	rim
knee	joelho
leg	perna
limbs	membros
liver	fígado
lungs	pulmões
mouth	boca
nail	unha
nerve	nervo
nose	nariz
skull	crânio
spine	coluna
throat	garganta
toes	dedos do pé
tongue	língua

Basic vocabulary

ache	dor
allergic	alérgico
appointment	consulta
backache	dor nas costas
blood	sangue
blood pressure	pressão sanguínea

blood type	tipo sanguíneo
burn	queimadura
cold	resfriado
cough	tosse
deaf	surdo
digestion	digestão
dysentery	disenteria
earache	dor de ouvido
flu	gripe
fracture	fratura
heart attack	infarto
high blood pressure	hipertensão
ill	doente
illness	doença
infection	infecção
medicine	remédio
menstruation, period	menstruação
pain killer	analgésico
prescription	receita
sick	doente
sore throat	dor de garganta
stomachache	dor de estômago
thermometer	termômetro
wound	ferida

Health problems — Problemas de saúde

I have/he (she) has...	Eu tenho/ele (ela) tem...
an abscess	um abscesso
allergy	alergia
anemia	anemia
arthritis	artrite

asthma	asma
backache	dor nas costas
a bruise	um machucado
chicken pox	catapora
bronchitis	bronquite
cramps	cólicas
diabetes	diabetes
nausea	enjôo
an inflammation	uma inflamação

Drugstore, Chemist's
Farmácia/Drogaria

Where can I find a drugstore?	Onde eu encontro uma farmácia?
Can you give me something for...	Pode me dar algo para...
headache	dor de cabeça
my stomach	o estômago
I want...	Eu quero...
analgesic, pain killer	analgésico
antiacid	antiácido
aspirin	aspirina
condom	camisinha, preservativo
cotton	algodão
dental floss	fio dental
milk of magnesia	leite de magnésia
shaving cream	creme de barbear
suntan lotion	bronzeador
tablet, pill	comprimido
toothbrush	escova de dentes
toothpaste	pasta de dente, creme dental
ointment	pomada
prescription	receita
(clinical) thermometer	termômetro (clínico)
cough syrup	xarope para tosse

Food & Drink
Comidas e bebidas

Shopping for food

In Brazil the metric assurement system uses kilograms and litres. Roughly, a kilogram is equivalent to two pounds. A liter is equivalent to a quarter gallon.

Is there a supermarket/ grocery store near here?	Há um supermercado/uma mercearia aqui por perto?
Please, where can I find	Por favor, onde fica o
sugar?	açúcar?
sweetener?	adoçante?
Please, give me half kilo (one pound) of...	Por favor, me dê meio quilo de...
one kilo (two pounds)	1 quilo
two kilos (four pounds)	2 quilos
meat	carne
fish	peixe
pork chops	costeleta de porco
steaks	bifes
Is it fresh or frozen?	É fresco ou congelado?
Could you clean the fish?	Você pode limpar o peixe?
Take off the head, please	Tire a cabeça, por favor

This is bad	Não está bom
This is stale	Está passado
I'm not going to take it	Não vou levar
Do you sell frozen foods?	Vocês vendem comida congelada?
Where can I find it?	Onde eu encontro?
I want some...	Eu quero um pouco de...
tea	chá
chocolate	chocolate
pastries, deserts	doces
matches	fósforos
butter	manteiga
cooking oil	óleo
olive oil	azeite de oliva
bread	pão
salt	sal
sugar	açúcar
spices	condimentos
I want a hundred grams of…	Eu quero cem gramas de…
ham	presunto
cheese	queijo

(100 grams is approximately a quarter pound)

Drinks / Bebidas

Please, where are the drinks?	Por favor, onde ficam as bebidas?
Please, where are the soft-drinks?	Por favor, onde ficam os refrigerantes?
A bottle of...	Uma garrafa de...

milk	leite
wine	vinho
beer	cerveja
mineral water	água mineral
fruit juice	suco de frutas
bottled water	água mineral
soda water/carbonated water	água com gás

Fruit / Frutas

Fruit	Frutas
Please, where can I find... the fruit ?	Por favor, onde ficam... as frutas'?
almond	amêndoa
apple	maçã
apricot	damasco
avocado	abacate
bananas	bananas
cashcw	caju
cherries	cerejas
date	tâmara
coconut	coco
grapes	uvas
guava	goiaba
hazelnut/filbert	avelã
kiwifruit	kiwi
lemon	limão
lime	limão verde
mango	manga
melon	melão
mulberry	amora
oranges	laranjas

papaya	mamão
peache	pêssego
pear	pêra
pineapple	abacaxi
plum	ameixa
raspberry	framboesa
strawberries	morangos
tangerine, mandarin	tangerina
watermelon	melancia

Bakery / Padaria

bread	pão
roll	pãozinho, pão francês
white bread	pão branco
whole wheat bread	pão de trigo integral
(bread) slice	fatia (de pão)

Dairy products / Laticínios

milk	leite
butter	manteiga
yogurt	iogurte
cheese	queijo
cream	creme de leite
sour cream	creme de leite azedo
cheesecurds	requeijão

Vegetables / Vegetais

artichoke	alcachofra
aspargus	aspargo
beans	feijão
beet, beetroot	beterraba

broccoli	brócoli
cabbage	repolho
carrot	cenoura
cauliflower	couve-flor
celery	aipo
chickpea	grão-de-bico
corn	milho
cucumber	pepino
eggplant	berinjela
garlic	alho
lentil	lentilha
lettuce	alface
mushroom	cogumelo
onion	cebola
parsley	salsinha
pea	ervilha
pod	vagem
potato	batata
radish	rabanete
spinach	espinafre
tomato	tomate
watercress	agrião
zucchini	abobrinha

Meat	Carne
beef	carne de boi
chicken	galinha, frango
duck	pato
game	caça
pork	porco
poultry	aves

rabbit	coelho
turkey	peru
veal	vitela

Fish / Peixe

salmon	salmão
sardine	sardinha
trout	truta
tuna	atum

Brazilian fish

dourado
namorado
pintado
tilápia
traíra

Spices / Temperos

cooking oil	óleo
olive oil	azeite de oliva
pepper	pimenta
salt	sal
sauce	molho
vinegar	vinagre

Others

cookies	biscoitos, bolachas
canned food	enlatados
pastas	massas
eggs	ovos
sausages	lingüiças
frankfurter	salsicha
Please, I want a bottle/can/packet of this	Por favor, eu quero uma garrafa/lata/um pacote disto

Restaurant — Restaurante

You may need to say:

Is there a (an inexpensive) restaurant/snack bar near here? — Há um restaurante/lanchonete (não muito caro) por perto?

Can you suggest... — Você pode sugerir...
- a good restaurant? — um bom restaurante?
- a vegetarian restaurant? — um restaurante vegetariano?
- a coffee shop? — um café?

At the restaurant

I would like a reservation — Eu gostaria de reservar uma
- for two — mesa para duas pessoas
- for eight o'clock — para as oito horas

A table for one (two), please — Uma mesa para um (dois), por favor

Is there a table outside (by the window)? — Há uma mesa fora (perto da janela)?

Is there a smoking (non-smoking) area? — Há um local para fumantes (não fumantes)?

Where is the restroom? — Onde é o toalete?

May I see the menu? — Posso ver o cardápio?

I/we would like a drink first — Quero/queremos um aperitivo primeiro

Could we have some more bread/water? — Pode trazer mais pão/água?

I want something light — Eu quero algo leve

Do you serve snacks? — Vocês servem lanches?

Do you have children's helpings/kid's meal? — Vocês têm porções para crianças?

Do you have a dish of the day?	Vocês têm um prato do dia?
What is it?	Qual é?
What do you recommend?	O que você recomenda?
What is the specialty of the restaurant?	Qual é a especialidade do restaurante?
Can you tell me what this is?	Pode me dizer o que é isto?
Do you have any vegetarian dishes?	Vocês têm pratos vegetarianos?
Without oil (sauce), please	Sem óleo (molho), por favor
Without meat	Sem carne

Brazilian specialties

Feijoada: pork parts boiled with black beans, served with white rice, fried pork chops and orange. Very heavy and fat. Usually, you will find feijoada on Wednesdays and Saturdays.
Rodízio de churrasco: this is not a dish, but an all-you-can-eat system and a kind of restaurant. Usually large places where you pay a fixed amount and are served several kinds of char-broiled meat. There are also different kinds of salad and, at the fancy *rodízios,* they serve Japanese food and seafood.
Pintado na brasa: pintado is a tasty Brazilian river fish. "Na brasa" means char-broiled.
Leitão à pururuca com purê de batata: roast suckling pig with potato purée.
Tutu (or virado): beans prepared with flour and bacon.
Arroz-de-carreteiro: rice prepared with spices and corned beef.

Food can be:

boiled	cozido
breaded	à milanesa
char-broiled	grelhado na churrasqueira
deep fried	frito
grilled, broiled	grelhado
medium	ao ponto
rare	mal passado
roasted, baked	assado
well done	bem passado

Table settings / Louças e talheres

bottle	garrafa
dish	prato, travessa
fork	garfo
glass	copo
knife	faca
napkins, servietes	guardanapo
plate	prato
serving dish	travessa
spoon	colher
tablecloth	toalha
teaspoon	colher de chá

Meals / Refeições

breakfast	café da manhã
lunch	almoço
snack	lanche
tea	chá da tarde
dinner	jantar
supper	jantar, ceia

Pasta	Massas
lasagna	lasanha
meatballs	almôndegas
spaghetti	espaguete, macarrão
pizza	pizza
grated cheese	queijo ralado

The bill	A conta
The bill, please	A conta, por favor
Is service included?	O serviço está incluído?
Excuse me, there is a mistake here	Perdão, mas há um erro
Please, check the bill; I don't think it's correct	Por favor, confira a conta; creio que não está correta
What is this amount for?	O que é este valor?
We want separate bills, please	Queremos contas separadas, por favor
Do you take credit cards?	Vocês aceitam cartões de crédito?
Keep the change	Guarde o troco
It was very good	Estava muito bom

Drinks	Bebidas
A bottle of the house wine, please	Uma garrafa do vinho da casa, por favor
I want to see the wine list	Eu quero ver a carta de vinhos
Do you serve mixed drinks?	Vocês servem coquetéis?

Please, I'll have...	Por favor, eu quero...
mineral water	água mineral
lemonade	limonada
orange juice	suco de laranja
apple juice	suco de maçãs
a glass with ice	um copo com gelo
ice	gelo
a soft drink	um refrigerante
a coke	uma coca-cola
a straw	um canudinho
beer	cerveja
draught beer	chopp
glass of	copo de
whiskey	uísque
on the rocks	com gelo
straight up	puro
scotch	uísque escocês
A bottle of...	Uma garrafa de...
white wine	vinho branco
red wine	vinho tinto
dry/sweet	seco/doce
Please, i'll have a...	Por favor, eu quero um...
black coffee	café preto
a small coffee with milk	pingado (café com pouco leite)
a large coffee with milk	média (café com leite)
tea	chá
with milk	com leite
with lemon	com limão
glass of milk	copo de leite
hot chocolate, hot cocoa	chocolate quente

Drinks usually found in Brazilian bars

Beer: several brands, including European and American. If you like beer, try some produced in Brazil.
Bourbon: usually Jack Daniels and Jim Beam.
Caipirinha: Brazilian coktail typical drink (strong, beware!). Lime slices mashed with cachaça (alcohol from sugar-cane), sugar and ice.
Chopp: draft beer.
Cuba libre: rum with coca-cola and a slice of lime .
Daiquiri: rum, sugar and lime juice.
Hi-Fi: *screwdriver.* Vodka and orange juice.
Piña colada: rum and pineapple.
Scotch: several brands, including single malt and blended.
Batidas: sugar-cane *cachaça* mixed and (sometimes) mashed with fruits. The most common are **batidas de coco** (coconut) and **de maracujá** (passion fruit).

Juices | Sucos

It is easy to find tropical fruit juices.

juice	suco
orange juice	suco de laranja
abacaxi	pineapple
mamão	papaya
manga	manga
maracujá	passion fruit

Among carbonated soft drinks, you may want to try Guaraná, a Brazilian specialty. The brand Antarctica is the most popular. Guaraná is a small rain-forest tropical fruit and is believed to "recharge your batteries".

Water

A glass/bottle of...
- mineral water
- carbonated
- non-carbonated

Água

Um copo/uma garrafa de…
- água mineral
- com gás
- sem gás

Note: In some fancy places, when you order a bottle of mineral water they will bring you Perrier, without asking. That will cost about three times as much as a bottle of Brazilian mineral water. And you may want to try local brands of waters. They are pleasant and lighter than their French counterpart.

Hairdresser
Cabeleireiro (Cabeleireira)

Hairdresser	Cabeleireiro
Beauty parlor	Salão de beleza
I'd like to have my hair cut	Quero cortar o cabelo
I'd like to change my hairstyle	Quero mudar o penteado
I want to make an appointment for Saturday at 2 o'clock p.m.	Quero marcar um horário para sábado às catorze horas
brush	escova, escovar
color	cor
perm	permanente
comb (*noun*)	pente
to comb	pentear
I want my hair dyed	Quero tingir o cabelo
I'd like to have my hair shampooed	Gostaria de lavar o cabelo
I want my hair…	Quero meu cabelo…
lighter	mais claro
darker	mais escuro
the same style	do mesmo jeito

shorter	mais curto
longer	mais comprido
blond	louro
brown	castanho
red	ruivo
manicure	manicure
nail	unha
nail enamel, nail polish	esmalte de unhas
pedicure	pedicure
bleach	descoloração
bleach the hair	descolorir o cabelo
color	cor
dandruff	caspa
dye	tingir
front	franja
gel	gel
greasy	oleoso
hair pin	grampo
hair spray	laquê
hairdo	penteado
hollow	bobe
perm	permanente
shampoo	xampu

You may hear:

Gostaria de cortar o cabelo?
Would you like a haircut?

You may have to say:

Sim, por favor/Não, quero apenas fazer o cabelo
Yes, please/No, I'd like to have my hair done

Como você quer seu cabelo?
How do you want your hair?

O mesmo penteado/Um estilo da moda...
The same hairdo/A fashionable style...

Está bem assim?
Do you like it this way?

Está bem/Não. Mais curto, por favor
It's nice/No. I want it shorter, please

Gostaria das unhas mais curtas?
Would you like your nails shorter?

Sim, por favor/Não, apenas lixe-as
Yes, please/No. Just file them

Que cor você prefere?
What color do you prefer?

Uma cor clara/Um esmalte rosa-claro
A light color/A light pink nail enamel

See also: **Colors**

Hotel
Hotel

Making reservations

I'd like to make a reservation	Gostaria de fazer uma reserva
I'd like a room with a double bed two single beds/king size bed/queen size bed	Quero um quarto com cama de casal duas camas de solteiros/ cama king size/cama queen size
Is breakfast included?	O café da manhã está incluído?
How much will that be?	Quanto vai custar?
My name is…	Meu nome é…
I'll spell it…	Vou solctrar…

Completing the registration document

Nome	First name
Sobrenome	Last name
Endereço/Rua/Número	Address/Street/Number
Nacionalidade	Nationality
Ocupação/Profissão	Occupation
Data de nascimento	Date of birth

Local de nascimento	Place of birth
Número do passaporte	Passport number
Data	Date
Assinatura	Signature

You may hear:

Você vai se registrar?	Are you checking in?
Você tem reserva?	Do you have a reservation?
Seu nome, por favor?	Your name, please?
Seu passaporte, por favor	Your passport, please
Assine aqui, por favor	Would you sign here, please?
Por quantas noites?	For how many nights?
Quanto tempo você vai ficar?	How long will you be staying?
Para quantas pessoas?	For how many people?
Com ou sem banho?	With or without bath?
Sinto muito, não temos vagas	I'm sorry, we're full
Este é o único quarto livre	This is the only room vacant
Devemos ter outro quarto amanhã	We should have another room tomorrow
As refeições estão/não estão incluídas	Meals are/are not included
O café da manhã está incluído	Breakfast is included
Você pode preencher a ficha de registro, por favor?	Would you fill in the registration form, please?

Front desk/ reception desk — Recepção

Where is the front desk/ reception desk	Onde é a recepção?

I have reservations in the name of...	Eu tenho reservas em nome de...
I confirmed my booking by telephone/letter/ telex/fax	Eu confirmei minha reserva por telefone/carta/telex/fax
I want a single room	Quero um quarto individual
I want a double room	Quero um quarto duplo
With bath/shower	Com banho/chuveiro
How much is it?	Quanto custa?
Per night	Por noite
Per week	Por semana
What floor is the room on?	Em que andar é o quarto?
Do you have a room on the first floor?	Vocês têm um quarto no primeiro andar?

Room / Quarto

I don't like this room	Eu não gosto deste quarto
Do you have another one?	Vocês têm outro?
I want a quiet room/a bigger room	Eu quero um quarto silencioso/ maior
I'd like a room with a balcony	Eu gostaria de um quarto com sacada
I'd like a room with a view...	Eu gostaria de um quarto com vista...
of the street	para a rua
of the sea	para o mar
of the mountains	para as montanhas
Is there a telephone/tele-vision/radio in the room?	Há telefone/televisão/rádio no quarto?
Is the room air-conditioned?	O quarto tem ar condicionado?

Price / Preço

It's too expensive!	É muito caro!
Do you have anything cheaper?	Vocês têm algo mais barato?
Are meals included?	As refeições estão incluídas?
Is breakfast included?	O café da manhã está incluído?
How much is the room without meals?	Quanto é o quarto sem as refeições?
How much is the room with full board/with breakfast only?	Quanto é o quarto com pensão completa/só com café da manhã?
Do you have a weekly rate?	Vocês têm um preço por semana?
What is the weekly rate?	Quanto é o preço por semana?
Is there a reduction for children?	Há desconto para crianças?

Meals / Refeições

What time is breakfast/ lunch/dinner?	A que horas é o café da manhã/ almoço/jantar?
Where is the dining room?/ the hotel restaurant?	Onde é a sala de jantar?/ o restaurante do hotel?

Room service / Serviço de quarto

Chambermaid	Arrumadeira
I want breakfast in the room, please	Quero o café da manhã no quarto, por favor
Come in	Entre
Put it on the table, please	Ponha sobre a mesa, por favor
Can you give me a wake-up call at seven o'clock?	Pode me chamar às sete horas?

Can you do this laundry/ dry-cleaning?	Pode lavar/lavar a seco esta roupa?
How long will the laundry take?	Quanto tempo demora para lavar?
I want these shoes cleaned	Eu quero que limpem estes sapatos
I want this suit pressed	Eu quero que passem este terno
When will it be ready?	Quando fica pronto?
Please, I need it for tomorrow	Por favor, eu preciso disso para amanhã
Can you put it on the bill?	Pode colocar na conta?
There's no hot water	Não há água quente
The toilet won't flush	A descarga do vaso não funciona
The light doesn't work	A luz não funciona
The curtains are stuck	As cortinas estão emperradas
Please, open/close them	Por favor, abra-as/feche-as
The sheet is dirty	O lençol está sujo
It's too cold/hot	Está muito frio/quente
Can you please turn down/up the heat?	Pode desligar/ligar o aquecimento, por favor?
The air-conditioning doesn't work	O ar-condicionado não funciona

Other details

Does the hotel have a baby-sitting service?	O hotel tem baby-sitter?
Is there a garage?	Há garagem?
Where can I park the car?	Onde posso estacionar o carro?

(Key) number... (see also: **Numbers**)	(Chave) número...
Are there any messages for me?	Há algum recado para mim?
Can I leave this in the safe?	Posso deixar isto no cofre?
Can you get my things from the safe?	Pode tirar as minhas coisas do cofre?
My key, please	Minha chave, por favor
Can I borrow a typewriter?	Pode me emprestar uma máquina de escrever?
Please, mail this	Por favor, coloque isto no correio
Do you have a fax?	Vocês têm fax?
Please, fax this	Por favor, envie isto por fax
Do you have a map of the town/a tour guide?	Vocês têm um mapa da cidade/ um guia turístico?
I need...	Eu preciso de...
a pillow	um travesseiro
a towel	uma toalha
a glass	um copo
soap	um sabonete
a blanket	um cobertor
shaving cream	espuma para barba
a razor	lâmina de barbear
an ashtray	um cinzeiro
hangers	cabides
toilet paper	papel higiênico
writing paper	papel de carta
envelopes	envelopes
stamps	selos

postcards	cartões postais
an extra key	uma chave extra

Leaving the hotel

I´m checking out	Estou deixando o hotel
I will be leaving tomorrow	Eu vou sair amanhã
Can you have my bill ready?	Pode aprontar minha conta?
Do you accept credit cards?	Vocês aceitam cartões de crédito?
There's a mistake on the bill	Há um erro na conta
Could you have my luggage brought down?	Pode mandar trazer minha bagagem?
Please, call a taxi/cab for me	Por favor, chame um táxi para mim
I want to check out	Quero fechar a conta
Can you recommend a hotel in...	Pode me recomendar um hotel em...
Can you call them to make a reservation, please?	Você pode ligar-lhes e fazer uma reserva, por favor?

Leisure
Lazer

Sightseeing

What is there to see here/ in this city?	O que há para se ver aqui/nesta cidade?
Where is the museum?	Onde fica o museu?
I want to go to a church	Quero ir a uma igreja
a museum	a um museu
an art gallery	a uma galeria de arte
the beach	à praia
the cathedral	à catedral
the festival	ao festival
the concert	ao concerto
the stadium	ao estádio
the theater	ao teatro
the palace	ao palácio
the night club	a uma boate
Are there guided tours?	Há visitas com guia?
Is there a good sightseeing tour?	Há uma boa excursão turística?
How long does the tour take?	Quanto tempo demora a excursão?

Does the guide speak Portuguese/Spanish?	O guia fala português/ espanhol?
When?	Quando?
I want a good guidebook	Eu quero um bom guia turístico
What time does the museum open?	A que horas abre o museu?
How much does it cost to get in?	Quanto custa para entrar?
Are photographs allowed in here?	Pode-se tirar fotografias aqui?
Would you mind taking a photo of me/us?	Você pode tirar uma foto minha/nossa?
When was this built?	Quando isto foi construído?

Night life

What is there to do in the evening?	O que há para se fazer à noite?
Are there any good discos/nightclubs?	Existem boas danceterias/ boates?
I'd like to go to some place with Brazilian music/ bossa nova	Gostaria de ir a algum lugar com música brasileira/ bossa nova
We'd like to reserve two seats for tonight	Queremos fazer duas reservas para hoje à noite
What time does the show begin?	A que horas começa o show?
Is it necessary to buy the tickets in advance?	É necessário comprar os ingressos com antecedência?
Do you have a minimum charge?	Vocês cobram consumação mínima?

How much is it?	Quanto é?
Is the service charge included?	O serviço está incluído?

Theater — Teatro

I'd like to go to the theater this evening	Esta noite eu gostaria de ir ao teatro
I'd like to go see a good play	Eu gostaria de assistir a uma boa peça
I'd like to see a contemporary/Brazilian play	Gostaria de ver uma peça contemporânea/brasileira
I'd like to see a famous play	Gostaria de ver uma peça famosa
What's the play about?	Sobre o que é a peça?
Is it a comedy/a drama?	É uma comédia/drama?
Is there someone famous in the cast?	Tem alguém famoso no elenco?
Where is the play showing?	Onde a peça está em cartaz?

Movies — Cinema

I'd like to go see a good movie	Eu gostaria de assistir a um bom filme
I'd like to see Brazilian movies	Eu gostaria de ver filmes brasileiros
What's this movie about?	Sobre o que é esse filme?
I'd like to see a comedy/ a drama	Eu gostaria de ver uma comédia/um drama
Is there someone famous in the cast?	Tem alguém famoso no elenco?

Buying tickets | Comprando ingressos

Buying tickets	Comprando ingressos
Where is the box office?	Onde fica a bilheteria?
Two tickets in the middle, please	Dois ingressos no meio, por favor
Near the stage/screen, please	Próximo ao palco/à tela, por favor
I prefer to be further back	Prefiro ficar mais afastado
I'd like a program, please	Eu quero um programa

Basic vocabulary

act	ato
actor	ator
actress	atriz
artist	artista
box office	bilheteria
circus	circo
director	diretor
film, picture, movie, feature	filme (de cinema)
part, role	papel
screen	tela (do cinema)
seat	poltrona
stage	palco
ticket	ingresso

Mail
Correio

Could you mail this for me?	Pode colocar isto no correio?
Where is the nearest post office?	Onde é a agência dos correios mais próxima?
What time does the post office open/close?	A que horas o correio abre/ fecha?
To the United States, please	Para os Estados Unidos, por favor
How much is...	Quanto é...
this parcel to Dallas?	esta encomenda para Dallas?
a letter to London?	uma carta para Londres?
a postcard to Los Angeles?	um cartão-postal para Los Angeles?
I want to register this letter	Eu quero registrar esta carta
A stamp, please	Um selo, por favor
I'd like to send a telegram	Quero enviar um telegrama
I'd like to send a fax	Quero enviar um fax
airmail	via aérea
surface mail	superfície
Zip code	CEP
stamps	selos
parcel	encomenda

package	pacote
registered	registrada

E-mail

In the main cities you can find cybercafés, where you can access the Internet (to send and retrieve e-mail) and pay just for the time you use the computer. You'll most likelly find them in large book and computer stores, usually located at shopping malls.

Money
Dinheiro

Currency — Moeda

Brazil: Real (e.g. R$ 100,00)

You may hear:

Quanto dinheiro você quer trocar?	How much money do you want to change?
Você tem alguma identificação?	Do you have any identification?
Seu passaporte, por favor	Your passport, please
Assine aqui	Sign here
Passe no caixa, por favor	Please, go to the cashier

You may have to say:

I'd like to cash this traveller's check	Eu gostaria de trocar este cheque de viagem
What is the exchange rate?	Qual é a taxa de câmbio?
Please, write it down	Escreva, por favor
Here's my passport	Aqui está meu passaporte
Here's my credit card	Aqui está meu cartão de crédito

I'd like to change this into...	Eu gostaria de trocar isto por...
reais (Brazil)	reais
escudos (Portugal)	escudos
I'd like to withdraw some money (cash) with this credit card	Eu quero sacar dinheiro com este cartão de crédito
Can you give me some change for?	Você pode me dar algum trocado?
Can I have the receipt?	Você pode me dar um recibo?

Basic vocabulary

signature	assinatura
cashier, teller	caixa
exchange	câmbio
traveller's check	cheque de viagem
check	cheque
manager	gerente
identification	identificação
interest	juros
currency	moeda
coins	moedas
bills (of money)	notas
receipt	recibo
exchange rate	cotação, taxa de câmbio

Numbers
Números

1 um
2 dois
3 três
4 quatro
5 cinco
6 seis
7 sete
8 oito
9 nove
10 dez
11 onze
12 doze
13 treze
14 catorze
15 quinze
16 dezesseis
17 dezessete
18 dezoito
19 dezenove
20 vinte
21 vinte e um
22 vinte e dois
23 vinte e três
24 vinte e quatro
25 vinte e cinco
26 vinte e seis
27 vinte e sete
28 vinte e oito
29 vinte e nove
30 trinta
40 quarenta
50 cinqüenta
60 sessenta
70 setenta
80 oitenta
90 noventa
100 cem
110 cento e dez
200 duzentos
300 trezentos
500 quinhentos
1,000 mil
2,000 dois mil
1,000,000 um milhão
2,000,000 dois milhões

(Note: the period is used instead a comma to mark the thousand.)

1st	1º	primeiro
2nd	2º	segundo
3rd	3º	terceiro
4th	4º	quarto
5th	5º	quinto
6th	6º	sexto
7th	7º	sétimo
8th	8º	oitavo
9th	9°	nono
10th	10º	décimo
11th	11°	décimo primeiro
12th	12º	décimo segundo
20th	20º	vigésimo
21st	21º	vigésimo primeiro
22nd	22º	vigésimo segundo
23rd	23º	vigésimo terceiro
24th	24º	vigésimo quarto
25th	25º	vigésimo quinto
26th	26º	vigésimo sexto
27th	27º	vigésimo sétimo
28th	28º	vigésimo oitavo
29th	29º	vigésimo nono
30th	30°	trigésimo
40th	40º	quadragésimo
50th	50º	qüinquagésimo
60th	60º	sexagésimo
70th	70º	septuagésimo
80th	80º	octogésimo
90th	90º	nonagésimo
100th	100º	centésimo

Photos
Fotografias

You may need to say:

I need a color/black and white film
Eu preciso de um filme colorido/preto e branco

It's for prints/slides
Para ampliações/slides

There is something wrong with my camera
Há algo errado com minha câmara

The film/shutter is jammed
O filme/obturador está preso

Can you process this film?
Pode revelar este filme?

When will the photos be ready?
Quando as fotos estarão prontas?

How much is it?
Quanto custa?

Video / Vídeo

Do you have tape for this camcorder?
Você tem fita para esta câmara?

I'll take two
Vou levar duas

Do you have batteries for this camcorder?
Você tem baterias para esta câmara?

I need two VHS tapes VHS-C/8 (eight)/Hi-8 (eight)/Super-VHS	Preciso de duas fitas VHS VHS-C/8/Hi-8/ Super-VHS

Basic words

battery	bateria, pilha
camera	câmara/câmera
color film	filme colorido
for slides	para slides
for prints	para cópias
enlargement	ampliação
negative	negativo
photograph	fotografia
photo	foto
tape, videotape	fita (de vídeo)

Problems
Problemas

For emergency assistance, in Brazil, call 190 (police), 192 (medical emergencies) or 193 (accidents).

Help	Socorro
There's been an accident!	Aconteceu um acidente!
Someone is injured	Há feridos
Call…	Chamem…
the police	a polícia
an ambulance	uma ambulância
I am lost	Estou perdido
I have lost my wallet	Perdi minha carteira
my passport	meu passaporte
my purse	minha bolsa
I can't find my hotel	Não sei voltar para meu hotel
My wallet was stolen	Roubaram minha carteira
my luggage	minha bagagem
Call an ambulance	Chamem uma ambulância
I have missed my plane!	Perdi meu avião!
I need to make an urgent phone call	Preciso dar um telefonema urgente
consulate	consulado

American/British Consulate	Consulado Americano/ Britânico
embassy	embaixada
American/British Embassy	Embaixada Americana/ Britânica
police	polícia
police officer	policial

Police
Polícia

Where is the police station?	Onde fica a delegacia de polícia?
I have been robbed/ attacked	Fui roubado/atacado
I have had an accident	Sofri um acidente
Someone has stolen...	Alguém roubou...
I have lost...	Eu perdi...
my passport	meu passaporte
my credit card	meu cartão de crédito
my luggage	minha bagagem
my bag	minha bolsa
My car was broken into	Entraram no meu carro
My car was stolen	Roubaram meu carro
I need a report for my insurance	Preciso de um boletim de ocorrência para o seguro
I want to speak to a policewoman	Quero falar com uma policial
I've been raped	Fui violentada
I am a foreigner	Sou estrangeiro
My driver's license was issued in the United States	Minha carteira de motorista é dos Estados Unidos
I didn't know the speed limit	Eu não sabia o limite de velocidade

I am very sorry	Eu sinto muito

Obs.: In Brazil, the fine is not to be paid to the police officer.

You may hear:

Sua carteira de motorista, por favor	Your driver license, please
Seus documentos e os do carro, por favor	May I see the registration and driver license, please?
Você virou em local não permitido	You made an illegal turn
Você passou o sinal vermelho	You went through a red light

Shopping
Compras

See also: **Clothes, Cosmetics, Drugstore, Photography.**

You may hear:

Pois não?	May I help you?
Posso ajudar?	May I help you?
O que deseja?	What would you like?
Isso é tudo?	Will that be all?
Mais alguma coisa?	Anything else?
Nós temos uma oferta especial	We have a special offer
Quer que embrulhe para presente?	Would you like it giftwrapped?
Nós não temos isso	We don't have that
Você vai encontrar ali	You'll find it there
Desculpe, acabou	Sorry, none left
Desculpe, acabou	Sorry, we're sold out
Receberemos mais amanhã/semana que vem	We'll have more tomorrow/ next week
Não tenho (mais)	I haven't got any (more)
Quantos você quer?	How many would you like?

Quanto você quer?	How much would you like?
Passe no caixa, por favor.	Please, go to the cashier.
Não tem mais trocado?	Do you have any change?
Qual tamanho você quer?	What size would you like?
Você vai pagar...	Are you paying...
com cartão de crédito?	charging it (with a credit card)?
com cheque?	with a check?
em dinheiro?	in cash?

You may want to say:

Where can I buy presents?	Onde posso comprar presentes?
Where can I buy Brazilian souvenirs?	Onde posso comprar lembranças do Brasil?
Where can I buy…	Onde posso comprar…
Brazilian stones/gems?	pedras/gemas brasileiras?
clothes?	roupas?
native Brazilian handicrafts	artesanato indígena?
Where can I find a good shopping mall?	Onde fica um bom shopping center?
What time do the shops open/close?	A que horas abrem/fecham as lojas?
I want to buy...	Quero comprar...
Could you show me…	Poderia me mostrar...
this/that	isto/aquilo
stones	pedras
gems	gemas
handicraft	artesanato
souvenirs	lembranças

How much is this/that?	Quanto isto/aquilo custa?
I am looking for a gift for…	Procuro um presente para…
my wife	minha esposa
my son	meu filho
my daughter	minha filha
my friend	meu amigo
my husband	meu marido
girlfriend	namorada
boyfriend	namorado
I'm just looking around	Estou só olhando
Is there a discount?	Faz um desconto?
I won't take it, thank you	Não vou levar, obrigado
Do you take traveller's checks/credit cards?	Vocês aceitam cheques de viagem/cartões de crédito?
Where do I pay?	Onde eu pago?
I'm sorry, I don't have any change	Desculpe, não tenho trocado
I'll take it	Eu vou levar
Could you send them to this address?	Pode mandá-los para este endereço?
Do you have a bag, please?	Você tem uma sacola?

Buying CDs / Comprando CDs

Please, I want a local folk music CD	Por favor, quero um CD de música folclórica local
May I listen to this CD?	Posso ouvir este CD?
Are there any new records by…	Você tem algum disco novo de…
Where are the…	Onde ficam os CDs…
foreigners CDs?	estrangeiros?
rock CDs?	de rock?

Signs
Sinais

You may see:

aberto	open
alfândega	customs
alta voltagem	high voltage
aviso	warning
banheiro	restroom
banheiro feminino	ladie's room
banheiro masculino	men's room
bilheteria	box office
câmbio	exchange
cavalheiros	gentlemen
chegada	arrival
cuidado	caution
desvio	detour
devagar	slowly
dirija com cuidado	drive carefully
elevador	lift
entrada	entrance
entrada proibida	no admittance
escada	stairs
escada rolante	escalator
estacionamento proibido	no parking

fechado	closed
frio	cold
homens	men
horário	schedule
horário	timetable
informações	information
internacional	international
limite de velocidade	speed limit
mantenha-se afastado	keep away (stay back)
mão única (de trânsito)	one way
metrô	subway, underground
mulheres	women
multa	fine
pare	stop
particular	private
perigo	danger
ponto de ônibus	bus stop
portão	gate
proibido fumar	no smoking
quebrado	out of order
quente	hot
saída	exit
sanitário feminino	ladie's room
sanitário masculino	men's room
senhoras	ladies

note:
Push and *puxe (pull in Portuguese)* sound very similar, but "puxe", just the opposite, actually means "pull" in Portuguese.

empurre	push
puxe	pull

Smokers
Fumantes

Can I smoke here?	Posso fumar aqui?
Do you mind if I smoke?	Importa-se se eu fumar?
May I have an ashtray?	Pode me dar um cinzeiro?
A pack of cigarettes, please	Um maçô de cigarros, por favor
I'd like some pipe tobacco	Eu quero fumo para cachimbo
Do you have any matches?	Você tem fósforos?
Have you got a light?	Tem fogo?

Basic vocabulary

cigar	charuto
cigarette	cigarro
flint	pedra para isqueiro
lighter	isqueiro
lighter fluid	fluido para isqueiro
lighter fluid gas	gás para isqueiro
menthol cigarette	cigarro mentolado
pack	maço
pipe	cachimbo
tobacco	fumo

Stationary store
Papelaria

Please, I want…	Por favor, eu quero…
a pad of writing paper	um bloco de papel de carta
five envelopes	cinco envelopes
a roll of adhesive tape	um rolo de durex
a roll of masking tape	um rolo de fita-crepe
a roll of string	um rolo de barbante
Could you show me some postcards?	Pode me mostrar alguns cartões-postais?
Do you have a refill for this pen?	Vocês têm carga para esta caneta?

Basic vocabulary

envelope	envelope
eraser	borracha
glue	cola
masking tape	fita-crepe
pen	caneta
pencil	lápis
scotch tape/adhesive tape	durex
wrapping paper	papel de embrulho
writing paper	papel de carta

Telephone
Telefone

In Portuguese, just like in English, telephone numbers are spoken one digit after the other:

555-9850 – cinco cinco cinco, nove oito, cinco zero (five five five, nine eight, five oh)

Frequently, the number 6 is spoken *meia* or *meia dúzia* (half, half dozen), to avoid misunderstandings (6 and 3 sound similar in Portuguese).

You may hear:

Alô?	Hello?
Quem está falando?	Who's calling?
Um momento, por favor	One moment, please
Estou tentando fazer a ligação	I'm trying to connect you
Desculpe, número errado	Sorry, wrong number
Cabine número…	Cabin number...
Não desligue	Don't hang up
Pode falar	You're connected
Qual o prefixo da região (cidade)?	What's the area (city) code?

You may have to say:

Where can I make a telephone call?	Onde posso telefonar?
Local/long distance/ international	Local/interurbano/ internacional
I'd like this number...	Eu quero ligar para este número...
in Brazil	no Brasil
Can you dial it for me?	Você pode discar para mim?
I want to make a phone call	Quero fazer uma ligação
I want to make a collect call (EUA)/to reverse the charges (GB)	Quero uma ligação a cobrar
How much is it to phone USA/England?	Quanto é a ligação para os Estados Unidos/a Inglaterra?
I've been cut off	A linha caiu
What coins do I need?	De que moedas preciso?
Do you have a telephone directory?	Você tem uma lista telefônica?
Extension number 102	Ramal 102
I don't speak Portuguese	Eu não falo português
Slowly, please	Devagar, por favor
Can I hold?	Posso esperar?
The area code is… 031	O prefixo da cidade é... 031
busy	ocupado
collect call	chamada a cobrar
local call	chamada local
long distance call	interurbano
operator	telefonista

Temperature
Temperatura

The temperature, in Brazil, is expressed in Celsius. The following is a conversion table.

Farenheit °F	Celsius °C
-4	-20
5	-15
14	-10
23	-5
32	0
41	5
50	10
59	15
68	20
77	25
86	30
95	35
104	40

Obs.: The normal human body temperature is 36.5°C.

Time
Horas

In Brazil the time is usually expressed in the military style, from 0 to 24. For example, 1 p.m. is equivalent to thirteen hundred hours (would be 13 o'clock).

fourteen hundred	catorze horas
twenty hundred	vinte horas

You may have to say:

What time is it?	Que horas são?
It´s five a.m.	São cinco horas da manhã
ten past seven a.m.	sete e dez da manhã
fifteen (a quarter) past eight	oito e quinze
thirty (half) past eight	oito e trinta (meia)
in the morning	de manhã
in the afternoon	à tarde
two o´clock p.m.	duas da tarde
fifteen (a quarter) to five	quinze para as cinco
ten to eleven	dez para as onze
twenty five past eleven p.m.	onze e vinte e cinco da noite
five to midnight	cinco para a meia-noite

midnight	meia-noite
noon	meio-dia
day	dia
night	noite
afternoon	tarde
morning	manhã
today	hoje
tomorrow	amanhã
yesterday	ontem
tonight	esta noite
tomorrow night	amanhã à noite

Transportation
Transportes

Train — Trem

You may hear:

Sai às oito e meia	It leaves at half past eight
Chega às oito	It arrives at eight
É na plataforma número um	It's on platform number one
Você tem de fazer baldeação em...	You have to change trains at...
Para quando você quer a passagem?	When do you want the ticket for?
Passagem só de ida ou de ida e volta?	Single (one-way) or round-trip ticket?
Quando você quer voltar?	When do you want to return?
Fumante ou não-fumante?	Smoking or non-smoking?

You may have to say:

Where's the train station?	Onde é a estação de trens?
Where is the ticket office?	Onde é a bilheteria?
Is there a train to...?	Há um trem para...?

Do you have a train schedule for...?	Você tem o horário de trens para...?
What time is the first train to...	A que horas parte o primeiro trem para...
The next train	O próximo trem
The last train	O último trem
One ticket/two tickets for the eight and a quarter train to...	Uma passagem/duas passagens no trem das oito e quinze para...
Which platform does the train to... leave from?	De que plataforma parte o trem para...
Single (one-way) ticket	Só ida
Round-trip (EUA)/ Return (GB) ticket	Ida e volta
First/second class	Primeira/segunda classe
Do I have to change trains?	Tenho de fazer baldeação?
Is this seat free?	Este lugar está vago?
Is this seat taken/reserved?	Este lugar está reservado?

Bus / Ônibus

I want a bus to...	Quero um ônibus para...
the airport	o aeroporto
How much is the bus fare?	Quanto é a passagem de ônibus?
What time is the bus to...	A que horas sai o ônibus para...
Do I need to change buses?	É preciso mudar de ônibus?
The next bus	O próximo ônibus
The last bus	O último ônibus
Is this seat free?	Este lugar está vago?

Where do I get the bus to…	Onde pego o ônibus para…
the hotel?	o hotel?
downtown?	o centro da cidade?
the airport?	o aeroporto?
the beach?	a praia?
Can you tell me where to get off?	Você pode me avisar quando devo descer?
I want to get off	Eu quero descer
The next stop, please	No próximo ponto, por favor
One ticket/two tickets to..., please	Uma passagem/duas passagens para..., por favor
bus stop	ponto de ônibus
bus station	rodoviária
ticket	passagem
fare	tarifa

Subway/Underground/Tube — Metrô

Where is the nearest subway/underground station?	Onde é a estação de metrô mais próxima?
Do you have a subway/an underground map?	Você tem um mapa do metrô?
I want to go to...	Eu quero ir para...
Which line goes to...	Qual linha vai para...
One/two ticket(s), please	Um/dois bilhete(s), por favor
How much is it?	Quanto custa?

Taxi — Táxi

Please, call me a taxi	Por favor, chame-me um táxi
Are you free?	Está livre?

Please, take me...	Por favor, leve-me...
to the airport	ao aeroporto
to downtown	ao centro da cidade
to the Continental Hotel	ao Hotel Continental
to this address	a este endereço
Is it far?	É longe?
How much will it be?	Quanto vai custar?
Please, I'm late, can you hurry?	Por favor, estou atrasado, pode ir mais depressa?
Stop here, please	Pare aqui, por favor
How much do you charge by the hour/for the day?	Quanto você cobra por hora/dia?
How much is it?	Quanto é?
It's too much!	É demais!

Renting a car — Alugando um carro

You may have to say:

I want to rent a car	Eu quero alugar um carro
I want a small/large car	Eu quero um carro pequeno/grande
An automatic car, please	Um carro automático, por favor
How much is it...	Quanto custa...
by the day?	por dia?
for three days?	por três dias?
for a week?	por uma semana?
for the weekend?	pelo fim de semana?
Is mileage included?	A quilometragem está incluída?
Is insurance included?	O seguro está incluído?

How much extra is the comprehensive insurance coverage? — Quanto eu tenho de pagar a mais por um seguro total?

Can I leave the car at the airport? — Posso deixar o carro no aeroporto?

Can I return the car in… Belo Horizonte? — Posso entregar o carro em... Belo Horizonte?

Could you show me the controls, please? — Você pode me mostrar os controles, por favor?

You may hear:

Aqui está a chave — Here's the key

Que tipo de carro você quer? — What kind of car do you want?

Aperte o cinto de segurança — Fasten your seat belt

Você não pode estacionar aqui — You can't park here

Sua carteira de motorista, por favor — Your driver's licence, please

Gas station — Posto de gasolina

Is there a gas station around here? — Há algum posto de gasolina por aqui?

Fill it up — Complete o tanque

Could you check the tires, please? — Você pode ver os pneus?

Can you clean the windshield ? — Você pode limpar o pára-brisa?

Check the oil, please — Examine o óleo, por favor

Please, wash the car — Lave o carro, por favor

Do you have a road map? — Você tem um guia rodoviário?

My car has broken down — Meu carro quebrou

I've had an accident — Eu sofri um acidente

Car parts	Peças de carro
accelerator, gas pedal	acelerador
air filter	filtro de ar
battery	bateria
body	carroçaria
brake light	luz de freio
brake pedal	pedal de freio
brakes	freios
bumper	pára-choques
car keys	chaves do carro
exhaust pipe	cano de escape
fender	pára-lamas
gear box	câmbio
gearshift	alavanca de mudança de marchas
headlight	farol
hood	capô
horn	buzina
seat belt	cinto de segurança
shock absorber	amortecedor
tires	pneus
transmission	transmissão
trunk	porta-malas
warning triangle	triângulo de emergência
wheel	roda
windshield	pára-brisa
windshield wipers	limpadores de pára-brisa

Car troubles

The battery has run down	A bateria arriou
The brakes aren't working right	Os freios não estão funcionando bem
The gearshift needs to be checked	O câmbio precisa ser verificado
There's oil leaking	Está vazando óleo
The motor is overheating	O motor está superaquecendo
The windshield wiper is broken	O limpador de pára-brisa quebrou

You may see or hear:

limite de velocidade	speed limit
quebra-molas (obstáculo)	speed bumps
placa	license plate
carteira de motorista	driver's license
É necessário consertá-lo	It needs repair
Vai ficar em...	That'll be...
sessenta reais	sixty reais (R$ 60)

Useful phrases
Frases úteis

Using the sentences below, along with simple words or gestures, you will be able to express yourself.

Please, ...	Por favor, ...
Help me	Ajude-me
I want...	Eu quero...
this	este, esta
Do you have...	Você tem...
films?	filmes?
I need...	Preciso de...
How much is it?	Quanto custa?
Where is...	Onde está...
the entrance?	a entrada?
Show me	Mostre-me
Can I...	Posso...
take pictures?	tirar fotos?
Can you...?	Você pode...?
What is this?	O que é isto?
How do I...?	Como eu...?
Take me to...	Leve-me para...
I want to buy...	Quero comprar...
a souvenir	uma lembrança
I want to go...	Quero ir...
to the museum	ao museu
I want to send...	Quero mandar...
this to the United States	isto para os Estados Unidos

Vocabulary

adj = adjective
f = feminine noun
m = masculine noun
v = verb

A

abaixar ***v*****,** to down
aberto ***adj*****,** open
abraçar ***v*****,** to hold
abrangente ***adj*****,** comprehensive
abrir ***v*****,** to open
aceitar ***v*****,** to accept
achar ***v*****,** to find
acidente ***m*****,** accident
açúcar ***m*****,** sugar
agência de correio, post office
agradar ***v*****,** to please
agradável ***adj*****,** pleasant; nice
agradecimento, thanks
água ***f*****,** water
ainda, still, yet
ainda não, not yet
alegre ***adj*****,** gay
alegria ***f*****,** joy
alérgico ***adj*****,** allergic
alimento ***m*****,** food
almoçar ***v*****,** to lunch
almoço ***m*****,** lunch
alto ***adj*****,** high
alugar ***v*****,** to rent
amanhã, tomorrow
amar ***v*****,** to love
amarelo ***adj*****,** yellow
ambulância ***f*****,** ambulance
amigo/a (*m* and *f*), friend
amor ***m*****,** love
animal ***m*****,** animal
animal de estimação, pet
aniversário ***m*****,** birthday
anterior ***adj*****,** previous
antes, before

antibióticos ***m***, antibiotics
aquecer ***v***, to warm
aqui, here
arroz ***m***, rice
assento ***m***, seat
assinatura ***f***, signature
assistência ***f***, assistance; help
atrás, behind
atrasado ***adj***, late
atraso ***m***, delay
através, through
aula ***f***, class
automático ***adj***, automatic
avançado ***adj***, advanced
avenida ***f***, avenue
avião ***m***, plane
azul ***adj***, blue

B

bagagem ***f***, baggage; luggage
baixo ***adj***, low
balcão ***m***, balcony
banheira ***f***, bath; bathtub
banheiro ***m***, restroom (EUA); toilet (GB)
banho ***m***, bath
barato ***adj***, cheap; inexpensive
barriga ***f***, belly
batata ***f***, potato
bater ***v***, to beat
bateria ***f***, battery
batida ***f***, beat
bebê ***m***, baby
bebida ***f***, drink
bebida não-alcoólica, soft drink
bem-vindo ***adj***, welcome
bife ***m***, steak
bilhete ***m***, ticket
biscoito ***m***, biscuit, cookie
blusa ***f***, blouse
boca ***f***, mouth
bom ***adj***, good
bonito ***adj***, beautiful; nice
braço ***m***, arm
branco ***adj***, white
breve, soon
brilhar ***v***, to shine
brilho ***m***, shine

C

cabana ***f***, cabin; cottage
cabeça ***f***, head
cabide ***m***, hanger
cachimbo ***m***, pipe
cadeira ***f***, chair
café ***m***, coffee
café da manhã, breakfast
caixa, box
caixa, cashier
caixa de banco, teller
calças ***f***, pants, trousers
câmara de vídeo, camcorder
camareira, chambermaid
camisa ***f***, shirt

camisola *f*, nightgown
cano *m*, pipe
cantar *v*, to sing
capitão *m*, captain
cardíaco, cardiac
carga *f*, charge
carne *f*, meat
carne de porco, pork
caro *adj*, expensive
carro *m*, car
cartão *m*, card
cartão-postal *m*, postcard
carteira *f*, wallet
carteira de motorista, driver's license
casaco *m*, coat
casado *adj*, married
casar *v*, to marry
cavalheiro *m*, gentleman
cem, hundred
centeio *m*, rye
centro *m*, center
centro (of the city), downtown
cereja *f*, cherry
certo *adj*, right; correct
cerveja *f*, beer
chá *m*, tea
chamar *v*, to call
chão *m*, floor
chapéu *m*, hat
chave *f*, key
chegar *v*, to arrive
cheque *m*, check
cheque de viagem, traveller's check
chope *m*, draught beer
chorar *v*, to cry
churrasco *m*, barbecue
chuveiro *m*, shower
cidade *f*, town
cigarro *m*, cigarette
cinto *m*, belt
cinto de segurança, seat belt
cinza, gray
cinzeiro *m*, ashtray
classe *f*, class
cobertor *m*, blanket
cobrança *f*, collect
cobrar *v*, to collect
cobrir *v*, to cover
cofre *m*, safe; vault
coleta *f*, collect
colher *f*, spoon
como, how
compra *f*, buy
comprar *v*, to buy
compreender *v*, to understand
comprometimento *m*, commitment
compromisso *m*, appointment; commitment
conectar *v*, to connect
conta *f*, bill

contrário ***adj***, reverse
contratar ***v***, to hire
cópia ***f***, copy
copiar ***v***, to copy
coquetel ***m***, cocktail
cor ***f***, color
correio ***m***, mail
correio aéreo ***m***, airmail
correspondência ***f***, mail
correto ***adj***, correct
corrigir ***v***, to correct
cortinas ***f***, curtains
cortisona ***f***, cortisone
couro ***m***, leather
cozinha ***f***, kitchen
cozinheiro/a (*m* and *f*), cook
criança ***f***, child; kid
cromo ***m***, chrome; slide
cuidar ***v***, to care

D

dança ***f***, dance
dançar ***v***, to dance
dano ***m***, damage
dar ***v***, to give
data ***f***, date
declarar ***v***, to declare
dente ***m***, tooth
desconto ***m***, discount; reduction
desculpa ***f***, excuse
desenvolver ***v***, to develop
desjejum ***m***, breakfast
dia ***m***, day
diarréia ***f***, diarrhoea
diferente ***adj***, different
dinheiro ***m***, money; cash
direita, right
divorciado/a, divorced
divorciar ***v***, to divorce
dizer ***v***, to speak; to tell
doce ***adj***, sweet
doce ***m***, sweets; candy
doente ***adj***, sick
doente (*m* and *f*), a sick person
doer ***v***, to ache
dor ***f***, ache; pain
doutor/a (*m* and *f*), doctor
drinque ***m***, drink
duplo, double

E

economia ***f***, economy; saving
elevado ***adj***, high
embrulhado ***adj***, wrapped
emitir ***v***, to issue
encher ***v***, to fill
enchimento ***m***, filling
encomenda ***f***, parcel
encontrar ***v***, to find
encontro ***m***, appointment; date; meeting

endereço ***m***, address
engano ***m***, mistake
enjoado ***adj***, sick
envelhecido ***adj***, stale
errado ***adj***, wrong
erro ***m***, error
escova ***f***, brush
escrever ***v***, to write
escritório ***m***, office
especialidade ***f***, specialty
espelho ***m***, mirror
espera ***f***, wait
esperar ***v***, to wait
espesso ***adj***, thick
esposa ***f***, wife
espuma ***f***, foam
esquerda, left
esquina ***f***, corner
estação ***f***, station
estacionamento ***m***, parking lot
estacionar ***v***, to park
estante ***f***, shelf
estilo ***m***, style
estrada ***f***, road
estrangeiro, foreign; foreigner
estrela ***f***, star
exposição ***f***, exposition
extensão ***f***, extension; length

F

faca ***f***, knife
falar ***v***, to say
família ***f***, family
fechado ***adj***, closed
fechar ***v***, to close
feijão ***m***, beans
feira ***f***, fair; business fair; trade show
feixe ***m***, sheaf
feliz ***adj***, happy
feriado ***m***, holiday
ferida ***f***, hurt
ferir ***v***, to hurt
ferver ***v***, to boil
filhote ***m***, calf; pup; ritter
filme ***m***, film
fixar ***v***, to fix
fogo ***m***, fire
folha ***f***, leaf; sheet
fones de ouvido, headphones
formulário ***m***, form
fósforo ***m***, match
fotografia ***f***, photograph
frango, chicken
frio ***adj***, cold
fruta ***f***, fruit
fumaça ***f***, smoke
furtar ***v***, to steal
futebol ***m***, soccer

G

galinha ***f***, chicken
ganso ***m***, goose

garagem ***f***, garage
garfo ***m***, fork
garganta ***f***, throat
garrafa ***f***, bottle
gato ***m***, cat
geléia ***f***, jam
gelo ***m***, ice
grande ***adj***, big; large
grátis, free
grávida ***f***, pregnant
gritar ***v***, to scream; to shout
guardanapo ***m***, napkin
guia ***f***, sidewalk; curbing
guia ***m***, guide
guiar ***v***, to guide; to drive

H

hoje, today
homem ***m***, man
hora ***f***, hour; time
horário ***m***, timetable; schedule

I

idade ***f***, age
imenso ***adj***, huge
incluir ***v***, to include
infecção ***f***, infection
informação ***f***, information
interessante ***adj***, interesting
intérprete ***m***, interpreter
irmã ***f***, sister
irmão ***m***, brother

J

janela ***f***, window
jantar ***m***, dinner
jantar ***v***, to have dinner
jaqueta ***f***, jacket
jogar ***v***, to play
jogo ***m***, match; game

L

lá, there
ladrão ***m***, thief
lanche ***m***, snack; sandwich
laranja ***f***, orange
lavanderia ***f***, laundry
leite ***m***, milk
lento ***adj***, slow
letra ***f***, letter
libra ***f***, pound
licença ***f***, licence
lilás, lilac
limonada ***f***, lemonade
limpo ***adj***, clean
lista ***f***, list
lista telefônica ***f***, telephone directory
livro ***m***, book
lixo ***m***, garbage; litter
lobo ***m***, wolf
local, place; site
loja ***f***, shop
longe, far
longo ***adj***, long

lugar ***m***, place; site
luva ***f***, glove
luz ***f***, light

M

maçã ***f***, apple
macarrão ***m***, pasta; macaroni
macio ***adj***, soft
maço de cigarros ***m***, packet of cigarettes
mala ***f***, suitcase
manga ***f***, sleeve; mango
manhã ***f***, morning
manteiga ***f***, butter
mão ***f***, hand
mapa ***m***, map
máquina ***f***, machine
máquina de escrever, typewriter
mar ***m***, sea; ocean
marido ***m***, husband
marrom, brown
massa ***f***, pastry; dough
massas ***f***, pasta
matéria ***f***, matter
mau ***adj***, bad
medida ***f***, measure
meia ***f***, sock; stocking
meia-calça ***f***, tights; panty-hose
meia-noite ***f***, midnight
meio ***m***, mean
meio ***adj***, half
meio-dia ***m***, noon
mel ***m***, honey
menina ***f***, girl
menino ***m***, boy
mensagem ***f***, message
mente ***f***, mind
mentira ***f***, lie
mercearia ***f***, grocer's shop
merceeiro ***m***, grocer
mesa ***f***, table
metade, half
metrô ***m***, subway (EUA)/ underground, tube (GB)
minuto ***m***, minute
modo ***m***, way
moeda ***f***, currency; coin
molhado ***adj***, wet
molho ***m***, dressing; sauce
montanha ***f***, mountain
mostra ***f***, show
mostrador ***m***, dial; gauge
mulher ***f***, woman
multa ***f***, fine
museu ***m***, museum

N

nacionalidade ***f***, nationality
namorada ***f***, girlfriend
namorado ***m***, boyfriend
nariz ***m***, nose
nascimento ***m***, birth
navalha ***f***, razor

nave *f*, ship
negócios ***m***, business
noite *f*, evening; night
nome ***m***, name
nota *f*, note
novamente, again
novo ***adj***, new

O

obedecer ***v***, to obey
obter emprestado, to borrow
obturação *f*, filling
óculos ***m***, glasses
ocupação *f*, occupation
ocupado ***adj***, busy
oferecer ***v***, to offer
oferta *f*, offer
óleo ***m***, oil
olhar ***m***, look
olhar ***v***, to look
ônibus ***m***, bus
ontem, yesterday
ordem *f*, order
orelha *f*, ear (external)
ouvido ***m***, ear (internal)
ovo ***m***, egg

P

pacote ***m***, packet; package
pagamento ***m***, payment
pai ***m***, father
país ***m***, country
palavra *f*, word
pão ***m***, bread
papel ***m***, paper
pára-brisa ***m***, windscreen; windshield
parada *f*, stop
parque ***m***, park
partida *f*, departure
passado ***m***, past
passagem *f* **(of plane, bus, etc.)**, ticket
passagem de ida e volta, return ticket
passage só de ida, single ticket; one-way ticket
passaporte ***m***, passport
pássaro ***m***, bird
pé ***m***, foot
pedaço ***m***, bit, piece
pedir ***v***, to ask; to order
peito ***m***, chest; breast
peixe ***m***, fish
pendurar ***v***, to hang
penicilina *f*, penicillin
pequeno ***adj***, little; small
pêra *f*, pear
perdão ***m***, pardon
perna *f*, leg
pêssego ***m***, peach
piedade *f*, pitty
pilha *f*, battery

pipoca *f*, popcorn
plataforma *f*, platform
pneu *m*, tyre; tires
polícia *f*, police
portão *m*, gate
postar *v*, to post
povo *m*, people
praia *f*, beach
prato *m*, dish
prazer *m*, pleasure
preço *m*, price; cost
presente *m*, gift
presidente *(m and f)*, president
pressão *f*, pressure
presunto *f*, ham
preto *adj*, black
primeiro, first
principal *adj*, main
problema *m*, problem
pronto *adj*, ready
propósito *m*, purpose
próprio *adj*, own
próximo *adj*, near
pulmão *m*, lung

Q

quarteirão *m*, block
quarto *m*, room
quase, almost
quebrar *v*, to break
queijo *m*, cheese
queimadura *f*, burn
quente *adj*, warm; hot
quilometragem *f*, mileage

R

raio *m*, ray
raiz *f*, root
razão *f*, reason
recado *m*, message
receber *v*, to receive
recomendar *v*, to recommend
rede *f*, net
refeição *f*, meal
registrar *v*, to register
registro *m*, register; registration
rei *m*, king
remédio *m*, medication
reserva *f*, reservation; booking
respiração *f*, breathe
reunião *f*, meeting
revelar um filme fotográfico, to develop a film
roubar *v*, to rob
roupa *f*, clothes
roupa íntima *f*, underwear
rua *f*, street
rubor *m*, flush

S

sabão *m*, soap
saber *v*, to know
sabonete *m*, soap

saco ***m*****,** bag
sacola ***f*****,** bag
saguão ***m*****,** lobby
saia ***f*****,** skirt
sair ***v*****,** to exit; to leave
sal ***m*****,** salt
salada ***f*****,** salad
salsicha ***f*****,** frankfurter
sangue ***m*****,** blood
sapato ***m*****,** shoe
saúde ***f*****,** health
secar ***v*****,** to dry
secretária eletrônica ***f*****,** answering machine
secretária/secretário (***f m*****),** secretary
seguinte, next
segurar ***v*****,** to hold
seguro ***m*****,** insurance
seguro ***adj*****,** safe
selo ***m*****,** stamp
sem fio, cordless
semana ***f*****,** week
semelhante, alike
sensação ***f*****,** feel; feeling
separar ***v*****,** to separate
serra ***f*****,** saw
serviço ***m*****,** service
servir ***v*****,** to serve
sinal ***m*****,** sign
smoking ***m*****,** tuxedo
sobremesa ***f*****,** dessert
sobrenome ***m*****,** surname
sobretudo ***m*****,** overcoat
solteiro/a, single
soma ***f*****,** amount
sono ***m*****,** sleep
sorte ***f*****,** luck
sorvete ***m*****,** ice-cream
suco ***m*****,** juice
sugerir ***v*****,** to suggest
sujar ***v*****,** to litter; to dirty
sujo ***adj*****,** dirty
superfície ***f*****,** surface
supermercado ***m*****,** supermarket
sutiã ***m*****,** bra

T

tabela ***f*****,** table
tamanho ***m*****,** size
tarde ***f*****,** afternoon
tarde ***adj*****,** late
tarifa ***f*****,** fare
taxa ***f*****,** rate
táxi ***m*****,** cab
tempo ***m*****,** time; weather
temporada ***f*****,** season
tentar ***v*****,** to try
tentativa ***f*****,** try
terno ***m*****,** suit
tesoura ***f*****,** scissors
toalete ***m*****,** restroom
toalha ***f*****,** towel

tomate ***m***, tomato
tonto ***adj***, dizzy
touro ***m***, bull
trabalhar ***v***, to work
trabalho ***m***, work
traduzir ***v***, translate
trânsito ***m***, transit; traffic
transporte ***m***, transportation
travesseiro ***m***, pillow
trazer ***v***, to bring
triste ***adj***, sad
troco ***m***, change

U

último ***adj***, last
urinar ***v***, to urinate
usar ***v***, to use

V

vaca ***f***, cow
vago ***adj***, vacant
varanda ***f***, terrace
vazio ***adj***, empty
vegetariano, vegetarian
vela ***f***, candle
velho ***adj***, old
veludo ***m***, velvet
vender ***v***, to sell
ver ***v***, to see
verde ***adj***, green
vermelho ***adj***, red
vestíbulo ***m***, lobby
vestido ***m***, dress
viajante ***m***, traveller
vida ***f***, life
videocassete ***m***, VCR
vidro ***m***, glass
vinho ***m***, wine
virar ***v***, to turn
vista ***f***, view
volta ***f***, return
vôo ***m***, flight

X

xícara ***f***, cup

Z

zoológico ***m***, zoo

Vocabulary

A

about, quase; sobre; perto de; em volta de; prestes a
abroad, em um país estrangeiro; fora; no exterior
accept, aceitar *v*; concordar *v*; admitir *v*
accident, acidente *m*; desastre *m*
ache, dor *f*; sentir dores; doer *v*
address, endereço *m*; endereçar *v*
after, atrás; detrás; depois; após
afternoon, tarde *f*
again, novamente; outra vez; de volta
age, idade *f*; época *f*
airmail, correio aéreo *m*
allergic, alérgico *adj*
ambulance, ambulância *f*
amount, soma *f*; quantia *f*; total *m*
another, um outro; adicional
antibiotics, antibióticos *m*
apple, maçã *f*
appointment, encontro *m*; compromisso *m*
arm, braço *m*
arrive, chegar *v*; alcançar *v*
ashtray, cinzeiro *m*
automatic, automático *adj.*
avenue, avenida *f*

B

baby, bebê *m*; criancinha *f*
baby-sitter, babá *f*
bad, ruim *adj.*; mau *adj.*; desagradável *adj.*
bag, saco *m*; sacola *f*; maleta *f*; bolsa *f*
baggage, bagagem *f*
balcony, balcão *m*; sacada *f*; galeria *f*
barbecue, churrasco *m*
bath, banho *m*

battery, bateria *f*; pilha *f*
beach, praia *f*
bean, feijão *m*
beat, batida *f*; golpe *m*; ritmo *m*; pulsação *f*
beat v, bater *v*; pulsar *v*; derrotar *v*
beautiful, bonito *adj*; lindo *adj*
beer, cerveja *f*
before, antes
beg, pedir *v*; solicitar *v*; implorar *v*; mendigar *v*
belly, barriga *f*
belt, cinto *m*
big, grande *adj*; importante *adj*
bill, conta *f*; nota de despesas *f*
bird, pássaro *m*; ave *f*
birth, nascimento *m*; origem *f*
birthday, aniversário *m*
birthplace, local de nascimento
bit, pedaço *m*; bocado *m*
black, preto *adj*
blanket, cobertor *m*
block, quarteirão *m*
blood, sangue *m*
blouse, blusa *f*
blue, azul *adj*
boil, ferver *v*; cozinhar *v*
book, livro *m*
book v, reservar *v*
borrow, tomar emprestado
borrow, empréstimo *m*
bottle, garrafa *f*; frasco *m*; vidro *m*
box, caixa *f*; caixote *m*; compartimento *m*
boy, menino *m*; moleque *m*; garoto *m*
boyfriend, namorado *m*
bra, sutiã *m*
bread, pão *m*
break, fratura *f*; interrupção *f*; intervalo *m*
break, quebrar *v*
breakfast, café da manhã *m*; desjejum *m*
breathe, respiração *f*
breathe v, respirar *v*
bring, trazer *v*; levar *v*; conduzir *v*
brother, irmão *m*
brown, marrom *adj*; castanho *adj*
brush, escova *f*
brush v, escovar *v*
bull, touro *m*
burn, queimadura *f*
burn v, queimar *v*
bus, ônibus *m*
business, negócios *m*
busy, ocupado *adj*
butter, manteiga *f*
buy, compra *f*; aquisição *f*
buy v, comprar *v*

C

cab, táxi *m*
cabin, cabana *f*; casa de campo
calf, filhote *m;* bezerro *m*
call, grito *m*; chamado *m*; telefonema *m*
call, chamar *v*; telefonar *v*
camcorder, câmara *f* de vídeo *m*
candy, doce *m*
captain, capitão *m*
car, carro *m*; automóvel *m*
cardiac, cardíaco *adj*
care, cuidado *m*; atenção *f*; preocupação *f*
care, cuidar de; importar-se com; gostar de
cash, dinheiro *m*; à vista
cash *v*, descontar um cheque
cashier, caixa de banco *m/f*
cat, gato *m*
chair, cadeira *f*
chairman, presidente *m*
chambermaid, camareira *f*
change, troco *m*; dinheiro trocado *m*
change *v*, trocar *v*; alterar *v*; mudar *v*
charge, carga *f*
charge *v*, cobrar *v*; acusar *v*
cheap, barato; de preço baixo
cheese, queijo *m*
cherry, cereja *f*
chest, peito *m*
chicken, galinha *f*; frango *m*
child, criança *f*
chop, corte *m*; fatia *f*; costeleta *f*
chop *v*, cortar *v*
class, classe *f*; categoria *f*
clean, limpo *adj*; honesto *adj*
clean *v*, limpar *v*
close, fechar *v*; tapar *v*; encerrar *v*
closed, fechado *adj*
clothes, roupa *f*; traje *m*; vestuário *m*
coat, casaco *m*; sobretudo *m*
cocktail, coquetel *m*; aperitivo *m*
coffee, café *m*
coin, moeda *f*
cold, resfriado *m*
cold, frio *adj*
collect, coleta *f*; cobrança *f*
collect *v*, coletar *v*; cobrar *v*
collect call, telefonema a cobrar
color, cor *f*
color, colorido *adj*
color *v*, pintar *v*; tingir *v*
comprehensive, abrangente *adj*; incluso *adj*
connect, conectar *v*; ligar *v*
cook, cozinheiro *m*

cook v, cozinhar *v*
cookie, biscoito *m*
cookies, bolachas *f*
cordless, sem fio
corner, esquina *f*
correct, correto *adj*; justo *adj*; certo *adj*
correct v, corrigir
cortisone, cortisona *f*
cost, preço *m*; custo *m*; gasto *m*
counter, balcão *m*
country, país *m*; campo *m*
cover, cobertura *f*; tampa *f*
cover v, cobrir *v*; abranger *v*
cow, vaca *f*
crackers, biscoitos *m*
cup, xícara *f*; taça *f*
currency, moeda *f*; padrão monetário *m*
curtains, cortinas *f*

D

damage, dano *m*; prejuízo *m*; estrago *m*
damage v, estragar *v*; prejudicar *v*
dance, dança *f*; baile *m*
dance v, dançar *v*
date, data *f*; encontro *m*
date v, namorar *v*
day, dia *m*
declare v, declarar *v*
delay, atraso *m*
departure, partida *f*; saída *f*
dessert, sobremesa *f*
develop, desenvolver *v*; revelar (*photo*)
dial, mostrador *m* (clock, radio, telephones, etc.)
dial v, discar *v* (*telephone*)
diarrhoea, diarréia *f*
different, diferente *adj*
dinner, jantar *m*
directory, lista telefônica *f*
dirty, sujo *adj*; imoral *adj*
discount, desconto *m*
discount v, descontar *v*
dish, prato *m*
divorced, divorciado/a
dizzy, tonto; com tonturas
doctor, doutor/a; médico/a
double, duplo *adj*; dobro *m*
down, abaixo; para baixo
downtown, centro *m*
draught beer, chope *m*
dress, vestido *m*
dress v, vestir *v*
dressing, molho *m*; tempero *m*
drink, drinque *m*; bebida *f*; **soft ~** refrigerante *m*
drive, passeio *m*; percurso *m*
drive v, dirigir *v*
dry, seco *m*
dry v, secar *v*

E

ear, orelha *f* (external); ouvido *m* (internal)
economy, economia *f*
egg, ovo *m*
empty, vazio *adj*; desocupado *adj*
empty v, esvaziar *v*
evening, noite *f*
excuse, desculpa *f*
excuse v, desculpar *v*
expect, esperar *v*; aguardar *v*
expensive, caro *adj*; dispendioso *adj*
extension, extensão *f*; (*telephone*) ramal *m*

F

fair, feira de negócios; exposição *f*
family, família *f*
far, longe; distante
fare, tarifa *f*
father, pai *m*
feed, alimentar *v*
feel, sensação *f*; percepção *f*
feel, sentir *v*
fill, encher *v*, preencher *v*
filling, enchimento *m*; (*dentist*) obturação *f*
film, filme *m*
film v, filmar *v*
find, achar *v*; encontrar *v*
fine, multa *f*; penalidade *f*
fine v, multar *v*
fine adj, excelente *adj*; ótimo *adj*
first, primeiro
fish, peixe *m*
fish v, pescar *v*
flight, vôo *m*
floor, chão *m*; solo *m*; andar (*of a building*) *m*
flush, rubor *m*; descarga *f* (*toilet*)
flush v, enrubescer *v*; dar *v* descarga (*toilet*)
food, alimento *m*, comida *f*
foot, pé *m*
fork, garfo *m*
form, formulário *m*; forma *f*
form v, formar *v*
free v, livrar *v*; libertar *v*; abrir *v*
free adj, livre; grátis (*without cost*)
friend, amigo/a
fruit, fruta *f*
full, cheio; completo

G

game, jogo *m*
garage, garagem *f*
gate, portão *m*
gentleman, cavalheiro *m*; senhor *m*

get, obter *v*
gift, presente *m*
girl, menina *f*
girlfriend, namorada *f*
give, dar *v*
glass, vidro *m*; copo *m*
glasses, óculos *m*
glove, luva *f*
good, bom *adj*
goose, ganso *m*
green, verde *adj*
greens, verduras *f*
grey, cinza *adj*
grocer, merceeiro *m*; vendeiro *m*
grocery store, mercearia *f*; supermercado *m*
guide, guia *m*
guide *v*, guiar *v*

H

half, metade; meio
ham, presunto *m*
hand, mão *f*
hand *v*, entregar *v*
hang, pendurar *v*
hanger, cabide *m*
happy, feliz *adj*
hat, chapéu *m*
head, cabeça *f*
headphones, fones de ouvido
health, saúde *f*
help, ajuda *f*; socorro *m*
help *v*, ajudar *v*; socorrer *v*
here, aqui; neste lugar
high, elevado *adj*; grande *adj*; alto *adj*
hire, contratar *v*
hold, segurar *v*
holiday, feriado *m*; férias *f*
honey, mel *m*
hot, quente *adj*
hour, hora *f*
how, como
huge, imenso *adj*; vasto *adj*; enorme *adj*
hundred, cem
hurt, ferida *f*
hurt *v*, ferir *v*; ofender *v*; magoar *v*
husband, marido *m*

I

ice, gelo *m*
ice *v*, gelar *v*
ice-cream, sorvete *m*
include, incluir *v*
inexpensive, barato *adj*
infection, infecção *f*
information, informação *f*
insurance, seguro *m*
interesting, interessante *adj*

interpreter, intérprete (*m* and *f* — same word for both genders)
issue, edição *f*; emissão *f*
issue *v*, emitir *v*; lançar *v*

J

jacket, jaqueta *f*
jam, geléia *f*; **traffic ~,** engarrafamento *m*
juice, suco *m*

K

key, chave *f*
kid, criança *f*
kid *v*, caçoar *v*; zombar *v*
king, rei *m*
kitchen, cozinha *f*
knife, faca *f*; lâmina *f*
know, saber *v*; conhecer *v*

L

large, grande *adj*
last *adj*, último *adj*
last *v*, durar *v*
late, atrasado *adj*
laundry, lavanderia *f*
leaf, folha *f*
leather, couro *m*
leave, licença *f*; permissão *f*
leave *v*, partir *v*; sair *v*
left, esquerda
leg, perna *f*
lemonade, limonada *f*
letter, letra *f*; carta *f*
licence, licença *f*; **driver's ~,** carteira de motorista
lie, mentira *f*
lie *v*, mentir *v*; deitar *v* (*on the bed*)
life, vida *f*
light, luz *f*
light *v*, iluminar *v*; acender *v* (*a cigarette*)
like, gostar *v*
lilac, lilás *adj*
litter, lixo *m*
litter *v*, sujar *v*; espalhar *v*
little, pequeno *adj*; pouco *adj*
loaf, fôrma *f*
loan, empréstimo *m*
lobby, vestíbulo *m*; saguão *m*
long, longo *adj*; comprido *adj*; extenso *adj*
look, olhar *m*
look *v*, olhar *v*
love, amor *m*
love *v*, amar *v*
low, baixo
luck, sorte *f*; felicidade *f*
luggage, bagagem *f*
lunch, almoço *m*
lung, pulmão *m* (and *plural — os pulmões*)

M

machine, máquina *f*
main, principal *adj*
man, homem *m*
map, mapa *m*
married, casado/a
marry *v*, casar *v*
match, fósforo *m*
match *v*, combinar *v*; casar *v*
matter, assunto *m*
meal, refeição *f*
measure, medida *f*
measure *v*, medir *v*
meat, carne *f*
medication, remédio *m*
meet *v*, encontrar *v*
meeting, reunião *f*
message, mensagem *f*
midnight, meia-noite *f*
mileage, quilometragem *f*
milk, leite *m*
mind, mente *f*
minute, minuto *m*
mirror, espelho *m*
mirror *v*, espelhar *v*
mistake, engano *m*; erro *m*
money, dinheiro *m*
morning, manhã *f*
mountain, montanha *f*
mouth, boca *f*
museum, museu *m*

N

name, nome *m*
napkin, guardanapo *m*
nationality, nacionalidade *f*
near, próximo; perto
net, rede *f*
net weight, peso líquido *m*
new, novo *adj*
next, seguinte; próximo
nice, bonito *adj*; agradável *adj*; simpático *adj*
night, noite *f*
nightgown, camisola *f*
noon, meio-dia *m*
nose, nariz *m*
note, nota *f*

O

obey, obedecer *v*
occupation, ocupação *f*; profissão *f*
offer, oferta *f*
offer *v*, ofertar *v*
office, escritório *m*
oil, óleo *m*
oil *v*, lubrificar *v*
old, velho *adj*
one-way ticket, passagem de ida
open, abrir *v*
orange, laranja *f*

order, ordem *f*
own, próprio

P

pack, pacote *m*; maço *m* (de cigarros)
package, pacote *m*
packet, pacote *m*; maço de cigarros
pain, dor *f*
pants, calças *f*
paper, papel *m*; documento *m*; **news~,** jornal *m*
parcel, encomenda *f*
pardon, perdão *m*; desculpa *f*
park, parque *m*
park *v*, estacionar *v*
parking lot, estacionamento *m*
passport, passaporte *m*
past, passado *m*
pasta, massa *f*; macarrão *m*
pay, pagamento *m*
pay *v*, pagar *v*
peach, pêssego *m*
pear, pêra *f*
people, povo *m*; gente *f*
pet, animal de estimação
pillow, travesseiro *m*
pipe, cano *m*; cachimbo *m*
pitty, piedade *f*; pena *f*
place, lugar *m*
plane, avião *m*
platform, plataforma *f*
play, jogo *m*; brincadeira *f*
play *v*, jogar *v*; brincar *v*
please *v*, agradar *v*
please, por favor
pleasure, prazer *m*
police, polícia *f*
pork, carne de porco
post, postar *v*; enviar *v* pelo correio
postcard, cartão-postal *m*
post office, agência *f* de correio *m*
potato, batata *f*
pound, libra *f*
pregnant, grávida *f*
pressure, pressão *f*
previous, anterior
print, foto *f*
print *v*, imprimir *v*
problem, problema *m*
purpose, propósito *m*; objetivo *m*

Q

quiet, quieto

R

rate, taxa *f*
ray, raio *m*
razor, navalha *f*; lâmina *f*
ready, pronto
recommend, recomendar *v*

red, vermelho *adj*
reduction, redução *f*; desconto *m*
register, registro *m*
register *v*, registrar *v*
registration, registro *m*
reservation, reserva *f*
restroom, toalete *m*; banheiro *m*
return, volta *f*; retorno *m*
return *v*, retornar *v*
return ticket, passagem de ida e volta
rice, arroz *m*
right, direita
river, rio *m*
road, estrada *f*; rua *f*
rob *v*, roubar *v*
room, quarto *m*
root, raiz *f*
round-trip, ida e volta
rye, centeio *m*

S

safe *adj*, seguro *adj*
safe, cofre *m*
sail, vela *f*
sail *v*, velejar *v*
salad, salada *f*
salt, sal *m*
sauce, molho *m*
sausage, salsicha *f*; lingüiça *f*
saw, serra *f*
saw *v*, serrar *v*
say, falar *v*
schedule, horário *m*
scissors, tesoura *f*
sea, mar *m*
seat, assento *m*
seat *v*, sentar *v*
sell, vender *v*
separate *v*, separar *v*
serve, servir *v*
service, serviço *m*
sheaf, feixe *m*
sheet, folha *f*; lençol *m* (*bed*)
shelf, estante *f*
shine, brilho *m*
shine *v*, brilhar *v*
ship, nave *f*; navio *m*
shirt, camisa *f*
shoe, sapato *m*
shop, loja *f*
show, mostra *f*; exibição *f*; espetáculo *m*;
show *v*, mostrar *v*
shower, chuveiro *m*
sick, doente
sign, sinal *m*, placa *f*
sign *v*, assinar *v*
signature, assinatura *f*
sing, cantar *v*
single, solteiro *m*

single ticket, passagem de ida
sister, irmã *f*
sit down, sentar *v*
site, local *m*
size, tamanho *m*
skirt, saia *f*
sleep, sono *m*
sleep *v*, dormir *v*
sleeve, manga *f*
slide, cromo *m*
slow, vagaroso *adj*; lento *adj*
slow down *v*, reduzir *v* (*the speed*)
small, pequeno *adj*
smoke, fumaça *f*
smoke *v*, fumar *v*
snack, lanche *m*
soap, sabão *m*; sabonete *m*
soap *v*, ensaboar *v*
soccer, futebol *m*
sock, meia *f*
soft, macio *adj*
soon, breve; logo
sorry!, desculpe!
speak, falar *v*
specialty, especialidade *f*
spoon, colher *f*
stale, estragado *adj*
stamp, selo *m*
star, estrela *f*
star *v*, estrelar *v*
station, estação *f*; posto *m*
steak, bife *m*
steal, furtar *v*
stockings, meias *f*
stop, parada *f*
stop *v*, parar *v*
street, rua *f*
style, estilo *m*
subway, metrô *m*
sugar, açúcar *m*
suggest, sugerir *v*
suit, terno *m*
suitcase, mala *f*
supermarket, supermercado *m*
surface, superfície *f*
surname, sobrenome *m*
sweet *adj*, doce *adj*
sweet, doce *m*

T

table, mesa *f*
take, pegar *v*
tea, chá *m*
tell, contar *v*
teller, caixa de banco
terrace, varanda *f*
thank, agradecimento *m*
thank *v*, agradecer *v*
thanks, agradecimento *m*
there, lá
thick, espesso *adj*; grosso *adj*

thief, ladrão *m*; ladra *f*
throat, garganta *f*
through, através
ticket, bilhete *m*; passagem *f*
tights, meias-calças *f*
time, tempo *m*
timetable, cronograma *m*
today, hoje
tomato, tomate *m*
tomorrow, amanhã
tooth, dente *m*
toothache, dor de dente
towel, toalha *f*
town, cidade *f*
transit, trânsito *m*
transit *v*, transitar *v*
translate *v*, traduzir *v*
traveller, viajante *m*
traveller´s cheques, cheques de viagem
trousers, calças *f*
try, tentativa *f*
try *v*, tentar *v*
turn, virar *v*
tuxedo, smoking *m*
typewriter, máquina de escrever
tyres, pneus *m*

U

underground, metrô *m*
understand, compreender *v*
underwear, roupa de baixo
up, para cima; em cima
urinate, urinar *v*
use, uso *m*
use *v*, usar *v*

V

vacancy, vaga *f*
vacant, vago
VCR, videocassete *m*
vegetables, legumes *m*
vegetarian, vegetariano
velvet, veludo *m*
very, muito
view, vista *f*

W

wait, espera *f*
wait v, esperar *v*
warm *v*, aquecer *v*
warm *adj*, quente *adj*
watch, assistir *v*
water, água *f*
way, caminho *m*
week, semana *f*
welcome, bem-vindo/a
wet, molhado/a
white, branco/a
wife, esposa *f*; mulher *f*

window, janela *f*
windscreen, pára-brisa *m*
windshield, pára-brisa *m*
wine, vinho *m*
withdraw, retirar *v*
wolf, lobo *m*
woman, mulher *f*
word, palavra *f*
work, trabalho *m*
work ***v*****,** trabalhar *v*
wrapped, embrulhado *adj*
write, escrever *v*
wrong, errado *adj*

Y

yellow, amarelo *adj*
yesterday, ontem
yet, ainda

Os práticos guias de bolso ideais para quem deseja conhecer o essencial dos grandes destinos turísticos.

- A arte e a cultura
- Principais atrações turísticas e sugestões de roteiro
- Endereços e dicas para "viver" a cidade
- Informações práticas
- Mapas detalhados

Títulos da série

Flórida
Lisboa
Londres
Nova York
Paris
Veneza